庫

乳と卵

川上未映子

文藝春秋

目次

乳と卵
ちち　らん

乳と卵

○卵子というのは卵細胞って名前で呼ぶのがほんとうで、ならばなぜ子、という字がつくのか、っていうのは、精子、という言葉にあわせて子、をつけてるだけなのです。図書室には何回か行ったけど本を借りるための手続きとかがなんかややこしくってだいたい本が少ないしせまいし暗いし何の本を読んでるのんか、人がきたらのぞかれるしそういうのは厭なので、最近は帰りしにちゃんとした図書館に行くようしてる。パソコンも好きにみれるし、それに学校はしんどい。あほらしい。いろんなことが。あほらしいとこんなふうに書くことがあほらしいけど、学校のことは別に勝手に過ぎていくことやからいいけれど、家のことは勝手にはすぎてはいかないので、ふたつのことは思えない。書くということはペンと紙だけあったらどこでもできるしただやしなんでも書けるので、これはとてもいい方法。これは記録といいます。いや、という漢字には厭と嫌があって厭、のほうが本当にいやな感じがあるので、厭を練習。厭。厭。　　　　　　　　　　　　　緑子

巻子らは大阪からやってくるから、到着の時間さえわかっていれば出合えぬわけはないし、ホームはこの場合ならひとつやし、わたしは前もってきいておいた到着時間を携帯電話に入力して、通話ボタンを一回押して記憶させていたのでその点は安心、歩きながら無数にある円柱にぴったりと巻かれたつるつるの広告を何個も何個も横切って、しかし広告に使われている老女優の着物の柄が、鏡餅なのかうさぎなのかがこれではわからないな、電光掲示板を確認してから階段を、気がついたら数えてて、登っていって、新幹線が色々を吐く大きな音によろけるくらいに圧《お》されながらも、すぐに巻子らを見つけることが出来た。

見るからにぐだぐだになった二人が、たくさんの利用客にまぎれてベンチにもたれるようにして座っているのが遠くでもはっきり見え、腰でもお尻でもなく背中で座ってい

る二人は、一見してまわりとの意気の差がとてもはなはだしい様子、そこだけ色が違って見えるわ、なぜか非常に血色悪いように見え、だらり垂れきっているのを発見し、ややあ、と小走りで近寄って声をかけるも、二人のあいだには聞いてたとおりの小さくまとめられた重苦しい雰囲気、わたしに気がつくと目をあげ、立ち上がってふたりはそれぞれ体の全体を伸ばした。

緑子はちょっと見ぬまに背が大きくなっていたけれど、それにしても全体が細く、ふくらはぎなどには肉らしい肉もなく丸みというものが見当たらず、実際に見たことないけれどもその直線はフラミンゴを想起させる、しかしさすがに脚などは全体に比して長いもので、胃の辺りから大腸の部を無視してぐんと生えてるようでもあり、え、あんたそんなとこまでが脚い？　と思わず感嘆を装って挨拶もかねつつ、その股ぐり、脚の付け根を叩くように確認したらば、黙って腰をさっとひっこめた。しかしわたしを驚かせたというか、わたしを一瞬黙らせたのは久々に見た緑子の諸々《もろもろ》ではなくてむしろ巻子の諸々、その全体としての縮み具合であった。巻子はもともと肉感的でもいわゆる健康美人という感じでもなかったけれど、それでもわたしの印象の中の巻子は、体も顔も、もっとこう、大きい感じで、まるっこかったはずで、ふっくらしたものがあったはずやのに、この縮み具合はなにか。肩の下に垂らした髪などを見てもパーマも染め粉もとれかかってるせいか赤茶けて精気がなく、毛先から心意気が抜け散っていってる感。灰色に立体的な英文字で何やらと書かれたパーカーと、硬そうなジーパンとミュールというのかサンダル、という格好にしてはしっかりと塗られすぎている濃い目の口紅には縦に皺がちりちり入って、使用しているファンデーション、安いのんか塗り方がなってないせいなんか、単に肌の色と合ってないのかムラになって粉っぽく、首とは明らかに色が違っていて、ホームに連続する無数の顔の中でぽっかりとくすみながら浮かんでいる巻子は、ちぐはぐ、というか、以前なら、巻ちゃんちょっと化粧濃いすぎやで、と笑いながら即座につっこめたものを、このときは何かしらに阻まれて云えず、わたし持つわ、と笑って云って、巻子の手からボストンバッグを引き取った。

巻子はわたしの姉であり緑子は巻子の娘であるから、緑子はわたしの姪であって、叔母であるわたしは未婚であり、そして緑子の父親である男と巻子は今から十年も前に別れているために、緑子は物心ついてから自分の父親と同居したこともなければ巻子が会わせたという話も聞かぬから、父親の何らいっさいを知らんまま、まあそれがどうということもないけれども、そういうわけでわれわれは今現在おなじ苗字を名のっていて、ふだんは大阪に住むこの母子は、この夏の三日間を巻子の所望で東京のわたしのアパートで過ごすことになったわけであります。

巻子から、今回の上京に関する電話があったのはそもそも一ヶ月くらい前のこと。「あたし豊胸手術を受けたいねんけども」という内容であった。「それについてあんたはどう思うか」ということが、わたしに深夜、巻子の仕事が終わってからわざわざの長距離の電話をかけてくる目的であったはずやのに、そこには最初から最後までわたしの感想や意見などを受け取る余裕も用意もない様子であって、巻子は「胸を膨らます」ということ、あるいは「そんなことがまじで自分に出来るのか」の、その境目でいたく興奮だけをしてるようで、あちらでの時間の経過の速さとこちらのそれとでは、結構なはぐれがあるように感じたものやった。

巻子はもともと性格が暗い、というほどではないけれど、おしゃべりというのでもないし、うんと子どものころはいわゆる引っ込み思案とでもいうのかしら、友に交われないですね、という理由で母親が担任の教師に呼び出されたりしていたのをわたしは覚えていて、友達が少なく、それはわたしのほうもそうであったから二人はいつも行動をともにしておった。自転車の荷台にわたしを乗せて際限なくペダルを巻子が回し、わたしらが行ける範囲のあらゆるところを走り巡り、その頃を何となく思い出せば何となく自動的に甦《よみがえ》るのは巻子の指先で、巻子はいつもいつも爪を激しめに嚙んでいて、嚙む爪がなくなっても嚙むのを止めないので、その先からはいつもちょっとした血が滲《にじ》んでいるのやった。その癖は今じゃもうないのかどうか、わたしはそんなことを思いつつ、電話の向こうから一方的に豊胸手術、豊胸手術豊胸が、っていう単語が届くのだけれども、耳も頭も巻子の話に集中させてはみても、結局いったい誰の、何のことをちゃんとしゃべってるのか、が、いくらどれだけ集中してみても、時間が経てば経つほどわからなくなってゆく始末。単語と音の響きだけがくるくるとして、次第に巻子としゃべってるのだという実感も失われてゆく様子であって難儀した。

それにまずこのように深夜、巻子から電話がかかってくることなど、しかも連続でなんてこれまでになかったものやったから、それだけでもずいぶんこちらの調子は狂わされるのに、電話は一時間を四日も続いてその全部が豊胸手術についての多分、なんやかやであって、内容といえば豊胸の方法についてと、「あたしはやろうと思ってんねん」という決意というか心境、それだけの行き来で、そして豊胸のほんのちょっとの隙間で、「けっこうな長いあいだ緑子とうまくいっていないのだ」という話がちらりと出たりして、それはわたしも前から聞いていたことであったし、わたしなりに心配はしておったことでもあるから、どちらかというとそっちの話のほうがわたしらの間での重要なのでは、とも思ったりするのやったけど、電話では胸を膨らますに関しての話の披露に巻子は懸命すぎるので、矢継ぎ早に語られる巻子の話をさえぎって緑子の話を切り出す間合いがわたしにはつかめんわけで、延々と中身がなく感じられるまま続く胸の話に、適当な相槌《あいづち》をうった。しかし不意に何かに突き当たって緑子のことに及ぶと、それまで勢いを竜巻いて話していた巻子は、なんや誤魔化したような茶化したような、声の調子が変化して、なぜか都合の決まらん様子、「まあ緑のことは、まあ大丈夫」とか云うんでぁって、「そやけどあれよ、あたしら最近、も、筆談っていうの、ペン書きやねんでペン書き」と妙に明るめの声で云う。「ペン書き？　なにそれ」「いや、あたしはしゃべるよ、しゃべるけども、緑はペンよペン。しゃべらんの。も、ずーっと。半年くらいになるんやない」と巻子は云い、「半年って、長ない？」「まあ長い、よね」「長い、よね」「あたしもそら初めのほうは色々聞いたりやってみたけどもずっと同じ調子やねん。何かそらきっかけがな、あたしにあったかなんかしたかも知れんねんけど、それどんなけ訊いてもゆうてくれんし、しゃべってくれんし、怒ってもしゃあないし、困ってるけど、困ってはおるけど、そやからあたしも、まあ、そういう時期やと思って、そういうことにしてるところはあるねんわ」

○　クラスのだいたいに初潮、がきてるらしいけど、今日はことばについて考えると初潮の初は初めてという意味でわかるけど、じゃあうしろのこの潮というのはなんで、と思いますに調べたら、初潮でははじめての月経、としか説明がなくてなんやごまかされたような気分ですから、潮というのを調べたら、いろいろ意味がおおくて、書いてあることは月と太陽の引力のあれやこれで海水が満ちたり引いたり、まあ動くこと、波、それのことで、いい時期、ともあって、んでわからんのがほかにはなぜか愛嬌《あいきょう》、とかも書いてあって、愛嬌を調べたら、これにもいろいろあったけれど目にはいってきたのは、商店で客の気を引く、とか、好ましさ、を、感じさせる、とかがあり、なんでこれが、股んとこから血のはじめて出る、初潮と関係があるのかさっぱりわからんでなんとなくむかつく。　緑子

巻子は現在三十九歳で年末に四十、現在の職業はホステスで、ホステス、とひとくくりにいうたってそこには様々な形態があります。いったい勤める店がどこに所在しているかで賃金や客層、だいたいの内容がわかるもので、大阪にも腐るほどの飲み屋街があるけれども、巻子が働いているのは大阪の京橋という地域であります。

いわゆる場末というのかしら、いわゆる高級なものとの縁は一切なし、全体が茶色く変色したゲームセンターに立ち飲み屋が連なり、建物の角度として傾いてるんでは、と思える個人経営の本屋の横に、細ながい作りの焼き肉屋があり、ほんまにちょっとの隙

間もなく隣接するのは、どぎつい粉飾がびしびしと目に突き刺さる電話や口の風俗店、その隣にフグを食べさせる店があったりして、しかしこのフグというのがどこらへんがフグなのかが嚙みながらにしても謎であり、いったいこれのどこがフグ部、といったあんばいで、それにかかってくるパチンコの音流、電飾のびかびか、ゲーム機が内蔵されたテーブルに暗い暗い喫茶店、店主も客も居るとこを見たことのない判子屋、などなどで、人々はかかる鬱憤《うっぷん》を爆発させ、笑い、道の端にはビール瓶が山となって割れてあったりと、とにかく乱雑なものであって、まあよくゆや人懐っこく気取らぬ地域ではあるけれども、集まる店は細かく小さなものばかり。どの飲み屋にも決まってカラオケが設置されていて、ビルの中身はどこでもわんわんわんとマイクの音の余韻の響きで酔う寸前、六十も完璧に過ぎてるの熟女が客引きをしていたり、ダンスできます、二千円で飲み放題ですからどうか、というような気配りも多分にあるわけで、まあそんな感じで様々な按配の店があるけれども、巻子が勤めているのはいわゆるスナックに類するところ。

カウンターが数席と、ボックス席と呼ばれるソファのような囲いがいくつかあり、十五人も入ればほぼ満員、どんなに贅沢な酒を確保して、それを飲んでも一人で一晩一万円という勘定をとればたいしたもの、売り上げを上げるためにはホステスのほうも色々注文をして、腹がどっぷん波打つくらいに飲み続ける必要があり、飲み物では足りぬからウインナ焼きとか玉子焼きとかオイルサーディンとかなんだかお弁当のおかずなのだか酒のあてなのかはっきりせぬそういうものをお願いして頼んだり、エコーがんがん、一曲百円の歌も積もれば札に代わるわけでそんなわけだからたくさん歌わねばならないわけで、そうやってもだいたいがみんな五千円足らずの代金を支払う程度で帰ってしまう。飲み放題でやってきて最初から最後まで居座る一見《いちげん》の客もけっこうおり、そうでなくても常連の客を相手に、なんとかやってる店やから客はほとんど馴染みであって邪険に出来るはずもなく、客が帰らなければ基本的には店を閉めるわけにはいかず、徹底した客の優位、そんな巻子の勤め先。

巻子の家計は母子家庭の補助もあることはあるが、そんなもの焼け石に水もええとこで、巻子は離婚した直後からスーパーの事務、工場のパート、レジ打ち梱包、などなどの仕事をしていたけれども、そんな賃金では生活はどうにもならんので、それにくわえてホステスの仕事もするようになった。どちらかというと性格的には人見知り、かつ地味目な巻子ゆえに、最初は飲酒の現場での接客全般はうまくいくはずもなかったが、転々と勤める店を変えながら、まあ現在のスナックに勤めて三年になる。その店の持ち主である五十代のいわゆるママと巻子と、二十歳くらいのアルバイトの女の子がふたり。女の子らはむろん大して器量がいいわけでも機転のきくわけでもなし、おまけに無断欠勤もちらほらとあり、おおむね接客にも身が入らず時間を気にして自分のことばかりを話す、かといってきつく云って辞められでもしたら困るからしゃあないわ、がまんしたって、というのがママの口癖、そういう巻子だって特別に器量がいいわけでも話術が抜群というわけでもなんでもないから、頼りにされてるというよりも足元を見られているというそういった感じでもあるのであって、だんだんに正規の勤務内容以外の仕事もなんとなくお願いされるようになり、例えばビールが配達される日には少し早くに出てそれを受け取り、ビルの一階に電球のついた看板を出して電源を入れるのも巻子の役目、それから突き出しを調理したり、水まわりの掃除も、客が途絶えたら食器も洗う、ゴミも出すし、買い出しもする。そのように店の中のなんでもをする。そこで週六日間を働く巻子の収入は完全に時給制で、毎月いくらを稼いでいるかという詳しいことは聞いたことがないけれど、単純に計算してみれば休みなしでうまくいっても最高で二十五万円くらいのもの。今はまだ健康に問題もなし、母子二人で生活するには緊急に困ることもないやろうけれど、蓄《たくわ》えが安心できるほどあるともまったく思えないし、巻子も今年は四十歳になるのやし、何があるかもわからんし、だいたいが夜を緑子ひとりで過ごさせるというのがなんというか。まあこれは今に始まったことでないし最近の母子家庭はもっと悲惨極まる情況であるということも聞くわけで、その点においては、たとえば巻子のおらん夜に何事かがあったときには駆けつけ、何ら協力を惜しまず力になってくれるという、巻子の古くからの友人の家庭がすぐ近くにあったりしてひとまず安心ということも出来るけど、これからも基本的に夜を緑子ひとりでこの先も過ごさせるという設定は、決定的によくない。よくないのだけれども、そんなことは巻子とてわかってることであろうし、わたしも人の心配、その色々を偉そうに云えたものではないし、具体的に力になってやることも出来ぬから口も出せない。まあとにかくこれからその時々の局面で巻子母子がどうやっていくのか、ということをぼんやり思ってみれば、何となく暗い気持ちにわたしもなるのです。そんなことは仕方のないことではあるけれども、まあしっかりとした会社に勤めていればそれが安心かといわれればそうやとも一概には云えぬのも最近の事実、色んなこと、わかって、わかってるつもりではいるのやけれども、しかし考えれば考えるだけの億劫《おっくう》と、重くのしかかるものが大阪、母子、を思うと、その字づらからその音からその方角から心象から、いつもわたしの背後に向かって一切の音のない、のっぺりとした均一の夜のようにやって来ては拭いきれぬしんどさが、肺や目をじっとりと濡らしてゆく思い。

○ナプキンをずっと反対に使ってたことがわかった、といって国ちゃんがもりあがった。うそ、とくにもりあがったってこともない、あたしにはちょっとわからんところがあるけれど、なんかずっとテープのほうを自分にあててたらしくて、知らんかったらしい。吸収が悪いなあってずっと困ってたらしい、のはそういうことやったらしい。テープのほうをあそこにつけたらはがすとき、いたいやろう。まちがえるくらい、わかりにくいものなのやろうか。ナプキンみしたるわ、めっちゃあるねん、と国ちゃんがいうので、今日、学校の帰りに国ちゃんの家に遊びにいってトイレに入ったらパンパースみたいな大きさでほんまにナプキンがだんだんにつまれてあった。うちの家にはないから、厭やけど、予習の意味で便座にのって、みたら、色んな種類の色んなのがものすごくあって、特売のシールはられすぎ。生理になるのは卵子が受精しなかったからで、ほんまは受け止めて育てるために準備されてたクッションみたいなものが血と一緒に流れるから。という話を国ちゃんと。そしたら受精をしてない無精卵、が、血のなかにあるのかと思って、先月なんと国ちゃんは自分のナプキンをさいて、みたらしい。え、ってあたしはびっくりしてどうやった、とちょっとだけ厭な気分になってきいたけど国ちゃんはおかまいなしで、ナプキンの中には細かい細かい粒粒があるらしくてそのいっこいっこが血をすってぐじゅぐじゅしてゼリーみたいになって、そういうわけで無精卵があるのかどうかはどんなけよう見てもわからんかったらしい。

緑子

混み混みの東京駅から山手線に乗り換えて、上野に向かう途中も混みは途切れんと、人がこの場で即席で人を生んでいるようだ、電車の中は輪郭でひしめきあって、巻子は駅で落ち合ったときよりも、だんだんに興奮を立ちあげてる様子で、なんかすべてに芝居がかってるっていうか、まあ興奮していて、それがわたしをなんや落ち着かなくさせる。「なあなあなあなあ、銀座ってどうよ」とか「あんたの家はこっからどうよ、だいたい東京ってどうよ」とか、浮ついてうれしそうに訊き、どうよと訊かれてもそんなもん答えようもないので「銀座はまあまあ近く、うちは上野で乗り換えて二駅」と答えると、聞いてるのかないのかその言葉の最後にかぶさるようにして「一回だけ来たことあるわあ、東京へはー」と大きな声で云うので、わたしらの前に座ってる女がちらっと目をあげて巻子を見た。巻子の口元は少しだけゆるんで開いていて、自然光の下ではさらにムラ、くっきり入った法令線の溝に溜まったファンデーションや、全体的な皺、に、目がいってしまう。

巻子はわたしの左側に立って、緑子はわたしの右側に立って、椅子は全部埋まってあって、電車がゆるやかに揺れるたびに並んでる人の肩が同じように揺れ、今日は徹底的な夏の日であります。

電車から見えるビルや、住居の屋根や側面は、巨大な面で光を受けて照り返し、何もかもが同じように白く発光していて、その白い部ですべてのものが溶け合って、なにかべつの大きなひとつのものとなって動き出しそうな気がするほどにでっかく、その白い部を見てると、こちらでは汗だけが小さな生き物のように皮膚の上をじりじりと移動をする。これの感触はかゆみに近しいな。なはんて思ってると実際なんだかかゆくもなって、汗を拭うタオルやハンカチを持っていないことに気がつき、体のすべて部を汗が面となって流れてる。ちらっと右を見やると、緑子は人に自分の体がちょっとでも触れぬように警戒というか、見えぬ膜のなかに自分を入れて少しずつよじらせてるように見えた。

「なあ、緑子、あんた東京初めてちゃうの。なあ、どう、大阪とあんまり変わらんくない？」とわたしがささやかに話しかけても首を少し縦に動かすだけで、そのほかは一言も喋らず無表情。まばたきは一回一回がとても長く、それを何度かして、そうかと思うとすばやくまばたきを繰り返し、口元はきゅっと結ばれて、頬にもうっすらと縦に線が入ってそれがぴりと動くのが見える、はら、まるで何かを噛みしめてるみたいでないの、とわたしは思ったが、そうか緑子は、しゃべらんのやったな、ということを思い出し、わざとじっくりその顔を見つめてみても、緑子はわたしの方をちらとでも見るでもなし、黙ったまま窓の外を、まぶたを閉じては上げるを繰り返しながらぼんやり眺めていた。

駅からの道を三人で黙って歩き、コンクリートは熱を吸収してまたそれをぐらぐらに放出して、逃げ水というのか陽炎《かげろう》というのか、よくわからぬぶよんとした動きが前方に見える。昔にこれをドラム缶の上で何度も見たことがある、しかしどれだけ暑いことよ、緑子は横に大きく膨らんだリュックサックを背負って、二泊三日でいったい何の荷物がいるのか、腰にも巻きつける形のバッグを付けており、わたしが持つ巻子のボストンバッグはそんなに重くはなかった。

駅からまっすぐ、小学校を越え、大きな信号をふたつ越えて、十分ほど歩く距離をわたしら無言で歩いたらば、わかりやすい場所にわたしの住むアパートが見え、そこは二階建ての古い建物、こここ、とわたしは顎で示しながら、狭いとこやけどもまあゆっくりしてってと笑ってみせると巻子は嬉しそうに笑って、へえ、あんたここに住んでるんねえ、へえ、と誰に聞かせるつもりかさらに大きな声でそう云ってへええを連呼、入り口から一歩二歩下がってアパートの全体を目に入れようとして口が大きく開いている。緑子は階段の始まる脇にある、わたしは名前も知らない草というか植物の葉にしゃがみこんで目を近づけ覗き込んだりして、腰巻の中から小さめのノートを取り出してそこに、〈これだれの〉と書いた。緑子の字は予想と違ってなんというか肉厚で、一文字一文字の顔が大きくてしかし全体的には足が揃っていて読みやすく、へえ、ちゃんと書けるようになったんね、という感心が動くも、知らん、考えたこともなかったわ、来たときから生えてあるのやも、と答えると、ふうんというように頷いて、しばらく見て立ち上がり、郵便受けの名前をきょろと見渡したあと振り返り二階を指さす、そう、二階の突き当たりな、表札なしのドアんとこ、行って、と云うと歩き出し、巻子はわたしの顔を見て困ったような顔をしてほんの少し肩をすくめれば、わたしも巻子も緑子に続き、少しだけひんやりした影の中の階段部に体の熱を渡しながら上がってゆき、玄関の戸を開ければ全部で十畳ほどの部屋の中に収まった。

巻子は「いい部屋やん」とひとこと放ち、「そうかしらん」と冷蔵庫を開けて、作り置きの濃く出すぎて、これは茶というよりはもう黒の域、の、麦茶を硝子コップに注ぎながらわたしが答えると、バッグを置いておでこに張りついた前髪を手のひらで撫であげて、「見てこれえっらい汗、冷房より水浴びたほうが早いわなあこれなあ」と云って手で扇ぎながら部屋の突き当たりの大きめの窓に向かって行けば、「え、ベランダないのん、この家ベランダないのんか」と驚き、「洗濯もんはどないするんよ」とこっちを振り返る、「そう、おそろしいことにこの家ベランダついてないのです、洗濯機はこの屋上にあって、洗濯もんもそこで干す」と答えると、へえ、と巻子は感心したように目を開いて、窓の外からの景色をひと通り見渡すと、水道借りるわ、手洗うわ、と云って洗面所へ行き、水の勢いすっごいやん、シャワーもこれ出してええ？ と大きな声で聞くのでどうぞ、そして緑子はといえば部屋の端っこを陣取って、何度か座りの位置を変えながら、ここ、というところに自分のリュックサックを固定させて、その中から小さなタオルを取り出しておでこの汗を丁寧に押さえながら吸い取らせてる。小さな体に張りつくティーシャツは無地で、わき部も胸の少し膨らんだ真ん中も汗で色が濃く沈んで、いま冷房入れますから待っててな、と云うと、うなずいて立ち上がって窓に近寄り、カーテンにちょっと触りながら外を見て、持ったままやった例の小ノートを開いて、〈なかなかいい部屋〉と書いたのをわたしに見せ、ありがとお、この部屋、初めて人入れた、とわたしは笑って、何もないねんけどまあまあ好き、でももうちょいで引越するねんけどな、と答えると、〈近い？〉、ううん、ここからちょい遠いかな、春日《かすが》ってとこ。持ってきた麦茶を緑子に手渡してまあこれ飲み。

緑子は一気に飲み干すと、小ノートにペンを走らせ、〈このへんの地図のこと調べてきたから、ちょっと様子みてくる〉と書き、何の様子を、と訊いてもそれには答えずそれからノートを口に挟んで、四つ折にされた印刷の小さな地図を広げてわたしに見せた。〈歩いてくる〉、こんな暑いのにまた出るのん、わたしはいいけどまあだいじょうぶやろうけど一応巻ちゃんに訊いていきや、と云うと、一瞬ため息のような顔つきをして黙りこんだ。わたしは一瞬迷ったけれど、なあ、緑子はしゃべらへんだの、と訊くと、緑子はちょっと間をおいて頷くので、それは巻子に対しての何らかの抗議的な？　すると

〈別に〉と書き、続けて〈そんなんちゃう〉と書き、喧嘩? とつづければ、首を振って、〈すぐ帰ってくるから〉と書いたのを見せ、電話持ってるねんやっけ、持ってってね、とわたしは云って、緑子は地図を畳んだのとタオルを腰巻に入れると、白地にピンクのきらきらした線が何本か走るスニーカーに足を真っ直ぐに突っ込み、玄関のドアを開けて外へ出て、少しすれば階段を降りてゆくかかとの低い音がどててんと部屋に響いた。

水を浴びて戻ってきた巻子は、涼しいわあ、座って置いてあった麦茶をひとくち飲み、わたしは「緑子が散歩に行った、すぐ帰ってくるって、んで携帯持ってったよ」と報告した。巻子は、あんたにはしゃべるん、いいや、わたしにもペン書き、そっか、あの子な、なんやろうなあ、と云いながらため息をついて、あたしにはわかりませんわ、と情けない顔をつくりつつ笑って見せ、服なん個か掛けといてもいい? とまた立ち上がって、掛かってあったハンガーを服の襟ぐりから無理くりに入れながら、まあ、あんたがおったときはまあうまく、行ってた、かなあ。こんなことにはなってなかったもんなあ、と云い、でもまあ巻ちゃんも一生懸命やってるし、そういう時期でしょ緑子の、と答えて、まあまあ、と云いながらわたしは親指の爪で左の人差し指の甘皮を押し下げながら、空になった硝子コップを見てもっと飲むかと訊いたらばもう喉は大丈夫、それからちょっとの黙りのあと、そうや、と体を跳ね上げるようにして、なあ、あんたって、話きいてよ、あんたの意見きかせてや、と明るい調子で云うんであって、何のことかと思や、電車の中で取り出してわたしに見せようとしたパンフレットの十倍くらいの量の合わさってある情報をボストンバッグの中から取り出して絨毯《じゅうたん》のうえに並べてみせた。

○　もしあたしにも生理がきたらそれから毎月、それがなくなるまで何十年も股から血が出ることになって、おそろしいような、気分になる、それは自分では止められへん。それにナプキンが家にないし、それもブルーで、もし生理があたしに来たってだいたいお母さんにはいうつもりないし、ぜったい隠して生きていくし、だいたい本のなかに初潮を迎えた（↑迎えるって勝手にきただけやろ）女の子を主人公にした小説っていうか本があって、読んだら、そのなかであたしもこれでいつかお母さんになれるんだわ。って感動して生んでくれてありがとう、みたいなシーンにそういうセリフが書いてあってびっくりして二度見した。本のなかではみんな生理を喜んで、お母さんに相談して、これで一人前の女、とか、おめでとうとか、じっさいに友達でも、手当てっていうか赤飯とかそういうのしてもらってるねんけどそれはすごすぎる。だいたい本に書かれてる生理はなんかいい感じに書かれすぎてるような気がします。これはこれを読んだ人に、こう思いなさいよってことのような気がする。こないだも学校で、移動んときに、誰かが、女に生まれてきたからにはいつか子どもは生みたい、みたいなことゆってて、単にあそこから出血する、ってことが女になるってことになって、それからなんか女として、みたいな話になって、いのちを生む、とかそういうでっかい気持ちになれるのはなんでやろうか。そしてそれがほんまにほんまにいいことって自分で思うことなんかな。あたしはちがうような気がしてそれが厭な原因のような気がしてる。こういう本を読むか読まされてかして、そういうもんやってことに、されてるだけじゃないのか。あたしは勝手にお腹がへったり、勝手に生理になったりするようなこんな体があって、その中に閉じ込められてるって感じる。んで生まれてきたら最後、生きてご飯を食べ続けて、お金をかせいで生きていかなあかんことだけでもしんどいことです。お母さんを見てたら、毎日を働きまくっても毎日しんどく、なんで、と思ってまう、これいっこだけでもういっぱいやのに、その中からまた別の体を出すとか、そんなこと、想像も出来んし、そういうことがみんなほんまに素晴らしくてすてきなことって自分で考えてちゃんとそう思うのですかね。ひとりでこれについて考えたときにすごくブルーになるから、あたしにとってはいいことじゃないのはたしかで、それに、生理がくるってことは受精ができるってことでそれは妊娠ということで、それはこんなふうに、食べたり考えたりする人間がふえるってことで、そのことを思うとなんで、と絶望的な、おおげさな気分になってしまう、ぜったいに子どもなんか生まないとあたしは思う。　緑子

巻子が取り出した様々な豊胸手術の情報は、大きさも形もよく似てはいるけれどそれぞれで、書体も色も違うし書かれてあることと値段設定などにも若干のばらつきが見られ、ぜんぶで二十種類はそろえられており、それよりもパソコンを所有せぬ巻子がこのすべての情報をどのようにして手に入れたのかを想像するだにしんどいものを感じたの

で、あえて入手方法を訊かずにおいて、一番上のパンフレットを手にとって開き、それを読んでる感じに模してみれば、パンフレットとそれを持ったわたしをこう、斜めうえから包みこむように、微笑みながら優しげ、って感じで巻子はなんだか大きく見つめ、「あ、そこはやめとこうと思ってるとこねんよ」と小声で囁《ささや》くように云い、それから「ていうか。もう決めたあるねんけどな。場所。豊胸をしよと思ってから色んなとこに行って色んなパンフもらったし色んな話聞いたけど結局な、やっぱ大変は大変みたいやねん。そら切るねんものねあんた、切るねんもの。でももう心ではこう、がちっとあたしがちっと決めてあんねんけれどもな」と息を吐いて、「明日な、カウンセリングやんか、これがこの夏のあたしの一大イベントっていうか、あれっていうか、でも一応せっかくやから全部見したろ思って持ってきてん、パンフ、あんたに。こんなけやのうて、家にはまだまだまだまだあるねんけどもこれ見てってことで一応きれいなやつもってきてん」と巻子は云い、巻子の云うその、きれい、というところの意味をつかめないので黙っていると、「あたしが行こうと思ってるとこは、ここ」とさっき電車のなかで取り出してわたしに見せようとした黒の艶《つや》っとしたパンフレットを爪で示して、その紙質には高級の雰囲気があり、白や桃白の風情とは違う、硬さというか、なんらかの差がはっきりと見えて、「なんかこれ、美容系っぽくないなあ」って云うわたしの感想を巻子は無視して、「豊胸手術についてはわたしあんたにめっちゃ電話で話したけど、ゆったとおりにけっこうな種類があるわけよね、大まかにゆうたら選択肢がみっつやったやん、覚えてる？」、覚えてない、とわたしは云いかけたがうなずいて、「いわゆるシリコン入れるのと、ヒアルロン酸注射して大きくするのと、それから自分の脂肪を抜いてそれ使って膨らますやつ、で、シリコン入れる方法が今もやっぱいっちゃん多いねんけどいっちゃん高いねんな、んでこれ、これみたいに」と爪先でぱしぱしとパンフレットに刷られた写真の、肌色に並んだシリコンを打って、「このバッグっていうのにもようさん種類があるわけよ、ほらこんなけあるねん、これ見したかってん、まあ色々と病院によって云いはることはちゃうねんけれども、いっちゃんメジャーなんはシリコンジェルってやつ。これな。んでから、コヒーシブバッグ、コーヒーちゃうで、コヒーシブ、バッグね。これは中で漏れたりせんようにジェルに比べて固まってるから、安全っちゃ安全なんやけど、触り心地とかではだいぶ落ちるけれどもやっぱこれが一番安全は安全らしくって、あと生理食塩水のがあって、けっこう悩んだけれどもあたしはやっぱりシリコンジェルにしよかと思ってんねんな。んでこれが、あたしの行きたい病院では、百五十万円、で、そのほかに麻酔代が全身麻酔やったら、十万ちょい」と巻子はとても早口で云い、その口調は何故だか張り切ってはいるのだけれども、声が少しずつうわずるというか高くなっていくようでもあり、さかんに唇を舐めながら話すので、細かい唾液がパンフレットのうえにぷっぷっとついて、黒で目立つし、しかし巻子はそれには気がついていない様子。

電話となんら変わらぬ手ごたえと雰囲気に、「百五十万って高ない？　すんごい、高いよな」とわたしはそれしか云えず、「あれ。でもこっちのパンフレット、これ、キャンペーン価格とかゆって四十五万とかって書いてるけど。おんなじシリコンジェルって書いてあるけど」と指差すと、「ああ、これとかさ、結局なこれくらいにして書いてるけど行って実際訊いてみたらそんな安くはないねんな、なんやかんやゆってもろもろんで重なるしキャンペーンとかって先生を指名できんかったりするし色々あるねん。豊胸はな、成功までにほんま色々あるねんよ」と巻子は鼻から大きく息を吸ってさらに大きく鼻から吐いた。

わたしは黙って重なるパンフレットを手に取って、ぱらつきを繰り返して、巻子のしゃべりに黙って耳を開いていたが、巻子は上機嫌で何かをうきうきとばらまくように「ああもう調べても調べても調べても結局大事なことがあんまりわからんことがあるわけで、その調べられへんことこそが、大事やねんよ」と、意味深なことを云い、「んで結局は病院で会った人、まあ整形外科、あれ。整形手術するのが形成外科で、骨折とかが整形やっけ。ま、胸とか顔とか手術するとこの待合ってのはあんまりしゃべったりとかってないねんけれども、忙しくしてるのはいっつもお医者だけで、でも最後に行ったところはなんかみんなファミリーな感じであれやって、なんか待ってる人どうしが共有っていうの、そう、共有してる気持ちがあってさ、色々話とかしたり聞けたりして、聞いたら、結構これがやりなおしとかで泣いてる人もおるみたいで、あんたやり直しなんて悲惨やで、だいたいそれが失敗か成功かってとこから始めなあかんし、抜くのはやってないからよそに行ってくれとかふつうにあるみたいやし、こうなったらこんなん当たるも八卦《はっけ》当たらんも八卦的っていうか、その人も胸、胸やってんけどやっぱ泣いたくちでいらっしゃって、泣かされた口でさ、この、ここな、この東京の、ここをはじめから知ってたら絶対ここに行ってたわあ、ってみんなが云うところが、ここ、ってことを教えてくれて、んで取り寄せてん、このパンフレットをあたしは。たしかにここは高いねんけど、結局こんなんって値段ないようなもんやしなんかちゃんとしてる感じが一番したの」とうなずく巻子を見ながら、わたしは相槌をうち、「でも、注射とか、ヒアなんとか酸、わたしはよくわからんけれども、注射やったら切ったり縫ったりがなくて簡単そうで、ほらこれは内容が体に自然やと書いてあるよ。これはあかんの」と訊けば、「ああ、ヒアルロン酸なんかもたへんもたへん、もたへんねん、あんなもすぐに吸収されてなくなってまうねん、それで八十万円とかはないなって思って。まあまあまあこれは傷跡にもならへんし、永久に膨らんだままおってくれたら最高やねんけども、これはなんかモデルとか芸能人とかが、撮影とかそういう勝負時とかにばって膨らますのとかにいいみたいで、ヒアルロンはまだまだすっごい高い域よ。わたしとかにはコストが高すぎて無理やわ」とわたしが見せたパンフレットの文字を目にくっつけるようにして云い、「それからこれ、ここに書いてあるけど、脂肪を入れんのも自分のやから体には害がないみたいやけど、体に余分に穴を開けんのもこれがけっこうな負担らしいの、時間かかんのもいややし、知ってる？　この手術って工事現場みたいにがががががんがんってもうすごいねんで、大げさな手術になるとこもあって、それにわたし、おかげさまで余分な肉、なくなったしなあ」と笑う巻子は確かにこの数年でがりがりになってもうてるのは確かであって、さっきから感じてる違和感は何かとぼーっと考えるに、それは巻子はここにおるわたしに向けてしゃべってるというよりは、なんだかそもそもわたしが見えてすらないような感じがあり、それが大変にこの雰囲気の空振り感を増幅しているのであって、じゃあなぜわたしはここにおるのに巻子はそれを感じてないようなそんなことがあるのかと考えても、「そうそうそれからこれは大事なことやねんけど、シリコンを入れるところにもふたつあってさ、筋肉もあるやん胸の脂肪のそのしたに、筋肉の下の場合はぱっと見ばれにくくて、その上に乳腺っていうのもあって、それの下に入れる場合は体力的にも手術も時間かからんねんけど、あたしみたいに痩せ型にはぽこってあのトイレのすっぽんで吸いぬいたみたいになってる細い人の写真とか見たら、よくあるやろ、固いのがまるっとついてる不自然な、やっぱちょっとあれはないから、でも筋肉の下に入れたほうがいいかなって思ってあたしは筋肉の下に入れるつもりでおるの」

と云い、「はあ」とわたしはうなずき、ばれる、ばれない、誰に。という疑問がひらっとしたが、わたしはなんや、以前にも胸のことについて女の人と話したこと、そういえばあったなあと巻子の話の裏っかわでぼんやりとして、最近はこのように、話したか聞いたかした内容のひとひらだけが、ちらりと脳裏を思わせぶりにゆくことがあり、それをはっと掴むもそれは不思議なもんで、音声として再現される場合もあれば文字として現れることもあるのやけど、しかしその独立したひとひらだけがいつもなぜか思い出されるのであって、それをいつどこで誰といかように話して、その会話なり対話なりがいったいどんな結びを得たかという文脈の累々《るいるい》は奇麗にぶち切れてあるので、じっさいに自分が誰かとした会話なのか、単に本で読んだだけなのか、テレビかなんかで耳に入っただけなのかの真相が壊滅的にはぐれておってそんな始末。でも確か、胸おおきくしたいわあ、とある女の子が云って、わたしじゃなくてそこにはもうひとり別の女の子がおって、その女の子がそれに対してネガティブな物言いをしたんやった、え、でもそれってさ、結局男のために大きくしたいってそういうことなんじゃないの、とかなんとか。男を楽しませるために自分の体を改造するのは違うよね的なことを冷っとした口調で云ったのだったかして、すると胸大きくしたいの女の子は、そういうことじゃなくて胸は自分の胸なんだし、男は関係なしに胸ってこの自分の体についてるわけでこれは自分自身の問題なのよね、もちろん体に異物を入れることはちゃんと考えなきゃいけないとは思うけれど、とかなんとか答えて、すると、そうかな、その胸が大きくなればいいなあっていうあなたの素朴な価値観がそもそも世界にはびこるそれはもうわたしたちが物を考えるための前提であるといってもいいくらいの男性的精神を経由した産物でしかないのよね、じっさい、あなたは気がついてないだけで、とかなんだかもっともらしいことを云って、胸大きくしたい女の子はそれに対して、なんだって単純なこのこれここについてるわたしの胸をわたしが大きくしたいっていうこの単純な願望をなんでそんな見たことも触ったこともない男性精神とかってもんにわざわざ結びつけようとするわけ？もしその、男性主義だっけ、男根精神だっけかが、あなたの云うとおりにあるんだとしてもよ、わたしがそれを経由してるんならあなたのその考えだって男性精神ってもんを経由してるってことになるんじゃないの、わたしとあなたで何が違うの、と答えたわけだ、するとその冷っと女子は、だーかーら、自分の価値観がいったいどこから発生してるのかとかそういうことを問題にしつつ疑いを持つっていうか飽くまでそれを自覚してるのと自覚してないのとは大違いだって云ってんのよ、とこう云って、その批判に対して胸大きく女子は、まあ何がそんなに違うのかあたしさっぱりわかんないけれど、わたしのこの今の小さい胸にわたし自身不満があること、そして大きな胸に憧れのようなものがあることは最初から最後まであたしの問題だってこう云ってんのよ、それだけのことに男性精神云々をくっつけて話ややこしくしてんのはあなたで、あなたが実はその男性精神そのものなんじゃないの？　少なくともわたしは男とセックスしたりするとき、例えば揉まれるときなんかにああこの胸が大きくあって欲しかったこの男の興奮のために、なんてことは思わない、ってことははっきりわかってるって話よ、ただ自分ひとりでいるときに思うってそれだけよ、ぺったんでまったいらなこれになぜだか残念を感じてしまうだけのことで。すると冷っと女子は、だからその残念に思う気持ちこそがそもそもすっかり取り込まれてんのよ、その感慨を、その愁嘆を、そういう自分自身の欲望の出自を疑いもせずに胸が大きくなったらいいなあ！　なんてぼんやりうっかり発言したりするのが不用意極まりないっていうか、腹立たしいっていうか無知というかなんていうかさ、とさらに冷っ、が増した声で冷り女子は静かに云うと、は、じゃあさ、あなたがしてるその化粧は男性精神に毒されたこの世界におかれましてどういう位置づけになんのですか、その動機はいったい何のためにしてる化粧になるの、化粧に対する疑いは？　と胸女子が云えば、これ？　これは自分のためにやってんのよ、自分のテンション上げるためにやってんの、と冷っと女子、それを受けて胸派女子は、だからあたしの胸だって自分のために大きくしたいってそういう話じゃないの？　あんたのそのそのばちばちに盛った化粧が自分のためだっていうのがあんたのさっきの理屈に沿うんならね、だいたいおんなじ世界で生きててこっちは男根主義的な影響受けてますここは受けてませんって誰が決定するんだっつの。と鼻で笑えば、何云ってんのよまったく、化粧と豊胸はそもそもがまったく違うでしょうが、だいたい女の胸に強制的にあてがわれた歴史的過去における社会的役割ってもんを考えてみたことあるわけ？　あなたのその胸を大きくしたいってんならまずあなたの胸が包括してる諸問題について考えるってことから始めなさいよって云ってんの、それに化粧はもともと魔よけで始まったもんなのよ、人間が魔物を恐れてこれを鎮めるために考えられた知恵なのよこれは人間の共同体としての、儀式なのよ。文化なの。大昔には男だって化粧やってるんだしだいたいあんたはそもそもわたしの云ってる問題点がまったく理解できてないわ、話にならない、と顎《あご》で刺すように云えば、は、じゃああんたのその生活諸々だけ男根の影響を受けずに全部魔よけの延長でやってるってこういうわけ、性別の関係しない文化であんたの行動だけは純粋な人間としての知恵ですってそういうわけかよ、なんじゃそら、大体女がなんだっつの。女なんかただの女だっつの。女であるあたしははっきりそう云わせてもらうっつの。まずあんたのそのわたしに対する今の発言をまず家に帰ってちくいち疑えっつの。それがあんたの信条でしょうが、は、阿呆らし、阿呆らしすぎて阿呆らしやの鐘が鳴って鳴りまくって鳴りまくりすぎてごんゆうて落ちてきよるわおまえのド頭に、とか云って、なぜかこのように最後は大阪弁となってしまうこのような別段の取り留めも面白みもなく古臭い会話の記憶だけがどういうわけかここにあるのやから、やはりこれはわたしがかつてじっさいに見聞きしたことであったのかどうか、さてしかしこれがさっぱり思い出せない。

○　今日はお母さんに頼まれてイズミヤに行って、帰ろうと思ったけどそのまま地下におりた、おばあちゃんによく連れてきてもらったのが、まだそのままあって、懐かしかった。まだロボコンがあってさ、ロボコンめっちゃ大きかったのに久しぶりに見たらすごい小さく感じれてびっくりした。ずっと昔にあたしがロボコンに入って運転して、お金入れたら動くねんけど、そこには小さい窓があって、そこからあたしはお母さんとおばあちゃんを見てたけど、あっちからはその窓が黒く見えるからあっちからはあたしの顔は見えへんくて、それがすごい不思議やったことを思い出す。いま、お母さんとおばあちゃんには、ロボコンしか見えてないねん。あっちからはロボコンやねんな。でも中身は、ほんまはあたしが入ってる。その日は一日不思議な感じやったのを、覚えてる。あたしの手は動く、足も動く、動かしかたなんかわかってないのに、色々なところが動かせることは不思議。あたしはいつのまにか知らんまにあたしの体のなかにあって、その体があたしの知らんところでどんどんどんどん変わっていく。こんな変わっていくことをどうでもいいことやとも思いたい、大人になるのは厭なこと、それでも気分が暗くなる。どんどんどんどんどん変わっていく。過ぎていく。それがゆううつで、なんでかものすごく暗い。でもその暗さは厭、気分が厭、厭厭が目にどんどんたまっていって、目をあけてたくない。あけていたくない、から、あけてられない、になりそうでこわい。目がすごいくるしい。
緑子

気がつけば巻子もしゃべることがなくなったのか、気が済んだのか、一時間ほどが過ぎ去っており、巻子はパンフレットを大事そうに端を揃えたりしながら、時計は四時をさしており、冷房がきんとしてきたので温度を上げに立ち、そのまま窓から外を見やれば、見えるものはまだまだいっこうに白くて熱を吸ったり吐いたりをじっとして繰り返すまま。

すぐ隣にある駐車場には真っ赤な車が続けて三台も並んである、三台も赤い車が並ぶこと。そのみっつが少しずつ形と色が違うので、長さなど濃淡、検分してると、枠の中にどれもきちんと納まってあるのは共通していながら、ああ、フロントガラスはそこから水が沸き出てるかのようにみずみずしく光を放って、蟬の鳴き声が立体にびっちりと貼りついて、それとおなじくらいにしんとした午後、まっすぐ伸びた道路の奥から、小さな緑子がうつむきながら歩いてくるのが見えた。その奥にある公園の木々の葉の塊《かたまり》は濃ゆに揺れながら静かに燃えて、緑子はそれを後頭部にしょってるようであった。近づいてくる顔がこちらへ向いたような気がして窓を開けて手を大きく振れば、緑子も一瞬の後に手をあげてこっちに気がついたという合図をして、またうつむいて歩いてだんだん姿が大きくなった。

そんなわけでだらだらと、とくべつの何かをして過ごすわけでもなく、しかし短い時間とはいえ、目的は巻子にしかないとはいえ、ゆうてもこれはせっかくの上京なのやからと、少々気を遣ったりしてもその気の遣いはなんら具体を連れてこんので、仕方ないので、緑子と巻子と並んで座って、目にびかびかする色の立ち代り、人の転換される画面のテレビをぼーと眺めていた。けれども巻子も緑子も無言の調子で、笑うこともなく、テレビの中からの笑い声の粒が枠からこぼれてこちらに届くまえにしゅっと蒸発するのが見えるよう、なんとなく白々しくなって、ぷつっとした中途半端な気持ちが気持ち悪くて、わたしはそうや、まだまだ夜ではないけれど、銭湯に行き、みなでさっぱりとし、それからご飯ということにしませんか、と提案してみれば、緑子はさっと表情を変えて小ノートに〈あたしはいかない〉と寸毫《すんごう》の迷いなく力強く書き、巻子はそれには返事をせずに、わたしに向かって、いいよ、行こ、と返事した。わたしは洗面器に銭湯用具一式を入れてバスタオルを乗せて大きなビニルの肩下げ袋に突っ込んで、緑子に待ってれる？　ほんまに行かんの、と訊けばうなずくので、じゃ鍵持っていくし外から閉めとくから一時間くらいで戻るからテレビでも見て待っといてな、と言い残して、わたしと巻子は夕方の熱気に沈んでゆく夏の時刻を歩いて最寄の銭湯まで歩いていった。

その銭湯は一年ほど前に改装を果たし、きれいであり、新しい銭湯というのはなぜか気持ちがつるつるして気分もよく、さらにそこは独自の製法というか開発というかで地下から汲み上げた水には特殊なエネルギーが備わっており、それは万病にがんがんに効き、飲むのはもちろん人体の何もかもにとってとても素晴らしいということでそっちの方向からも大人気らしく、ときどき来てみればいつも賑やか、しかし夕飯前のこの時刻であれば比較的に空いているはずやと思ってみれば、夏休みの中では決まったものでないらしく、混雑してるとはいえんまでも、客は変わらずようさんいて、専用の寝台で仰向けにされて体を拭かれながらに泣き叫ぶ赤ん坊の声や、ちょろちょろと走り回る幼女のどったんばったん、大きく流れるテレビの音などで脱衣所は充満しており、わたしらは代金を支払ってから中へ入り、ロッカーをふたっつ確保して服を脱いだ。

巻子の裸にまったく興味はなかったけれども、なんにせよ豊胸豊胸とあれだけ云うのだし云われた手前、やっぱり巻子の最新の、というか最古の、というか、まあ今現在の胸がどんな具合であるのかはやはり気になるというか、この場合の共通のあれなわけであって、最後に巻子とこのようにして銭湯などで互いの裸を見せあったのはいつであったかを思うに、巻子が離婚した直後から緑子とわたしと巻子との三人で同居した期間が六年間ほどあったので、そのときに何度か裸の機会もあったはずなのやが、銭湯に行くということは日常的でなかったし巻子との時間もずれがあったし、巻子の裸についてはそもそも具体を思い出せない。なので服を脱ぎまるめてロッカーに入れてる巻子の背中をちらっと見れば、服を着ているときのふた周りも痩せておる事実、そちらにまずぎょっとした。後ろから見ても太股のくっついてあるべきところがくっきり離れており、背中を丸めれば肋骨が浮いて見え、これでは今年四十になる巻子なのに、こうしてみると五十代にも見えるやないの、それともこれはそういう角度、しかし首がそんなに細いですかというほど小さく見え、そのぶん頭が大きく見えた。

入ろ、と体の前部をタオルで隠した巻子が云うので、風呂場のドアを横に引けば塊の白い湯気が漏れてきて一挙に体が湿ってゆく。風呂場もけっこうに混雑していて、東京の風呂屋にしては珍しく別料金を払わなくても入れるサウナがあったり、ミルク風呂などがあったり、努力がみなぎってあり、ほかには色が変化するカラフルな泡風呂、あとものすごい強烈な脂肪燃焼をうたった痛いくらいのジャグジーや、後頭部に当たる金属部はとても冷たい水が常時流れて冷えてる仕組みの寝そべりの湯、などがあったりして、まるく浮かんでは消えてゆく湯気のなか、天井高く、何かがかこーんと突如な音を立てたりするなかで、人々の顔はそれぞれがうっとり気に紅潮していた。

「新しいやん」と巻子は云い、「新しいねん」とわたしは答え、鏡が並んであるところに椅子と洗面器を持っていきそこを確保、まず湯に浸かろうと巻子が云うので、わたしは髪の毛をゴムでくくって、湯を股と脇にかけて流し、四十二度、と赤い電子文字で表示のある一番大きな湯船に浸かった。一応の基本としてどこでもタオルは湯船につけてはあきませんということになっていていてわざわざ注意書きもされているけれども、巻子はなんら気にせずタオルで前を隠したまま湯に入った。

「全然あつない」と巻子は云い、「なんなん、東京の湯ってこれが普通?」「や、味じゃないから東京も何も」「でもぬるい。そやのにあの人、あんな汗かいてる」「ほんまや」という具合で浸かってみても、やはり熱的に物足りなくどれだけ浸かっていてもきりがない感じがして、じゃあミルク風呂は、というので石枠をまたいで真っ白な湯に足を入れればそこもぬるい。「ぬるぬるわ」と巻子は云い、泡風呂に移動すればまあ少しは希望に沿うものであったらしく、わたしらは泡風呂で体を温めることにした。

巻子は湯に浸かってる間、風呂場を行き来する女々の体を舐めるように観察し、それは隣のわたしが気を遣うほど無遠慮に視線を打ち続けるので、ちょっと巻ちゃん、見すぎ、と思わず小声で注意するも、ああとかうんとかの生返事をして、その目は入ってくる体、湯に浸かる体、出る体、泡にくるまれる体をじっくりとせわしなく追うのであった。そうしてる巻子は特にしゃべることもなくただ湯気のなかを移動する女々の体を黙って見つめているので、わたしもひとりでしゃべるわけにもいかないもんで、仕方なく湯に並んで黙って女々の体を見てみれば、当然ながらあらためて様々な形態のあること輪郭のあること色味のあることはなはだしく、裸の中央に当たる部には、ほとんどの場合に、胸がある。

肌色の分量がとても多く、この裸の現場においては、普段ならかなりの割り合いで識別の重みを持つ顔、という部位がとんとうすれ、ここでは体自体が歩き、体自体がしゃべり、体自体が意思をもち、ひとつひとつの動作の中央には体しかないように見えてくるのやった。わたしはそれを思いながら行き来する女々の体を追ってると、よくあるあの、漢字などの、書きすぎ・見すぎなどで突如襲われる未視感というのか、ひらがなならでも、「い」を書き続け・見続けたりすると、ある点において「これ、ほんまに、いい？」と定点決まり切らぬようになってしまうあの感じ、今の場合は、わたしの目に女々の体がそうなってきており、だいたいなぜあそこが膨らみ、なぜ一番てっぺんに黒いものが生えており、しゅるっとなってこのフォルム、そしてなぜここでだらりんと二本でなぜ足はあのような角度で曲がってこんな具合をしているのかの隅々を、見失ったというか改めて発見したというかの状態になって、そのあらためて感から抜け出せぬような予感におそわれ端的にぞわりとおそろしくなり、「ま、巻ちゃんは、さっきから何を見てるの」と声をかければ、「え、胸」と即座に答えた。

タオルをつけたままなので巻子の胸はちゃんと見えなかったが、雰囲気的に平たいもので、ぴったり貼りつく濡れた白いタオルの生地を透けて、色の濃い乳首がぽつんと飛び出し、そこから想像する乳首の大きさと色をみとめたときに、わたしは巻子の昔の体をぼんやりと思い出したのであった。巻子の昔の乳首はなんというか、色も薄く大きさも小さめの部類に入るものやったような気がしたのですけど。あれ。誰かと間違えてる？　などと思ってると、突然に巻子は立ち上がり、「のぼせるでさすがに」とか何とか云って、湯から出て確保しておいた席へ向かって歩きだしたので、わたしも出て、隣に並んで色々を泡だてはじめた。

洗いながらも巻子は不自然極まりない感じでタオルを前面にぺたりと貼りつけており、それは洗い難さこのうえなしでしょうといったふうなのだけれどもわたしはそれには黙ったまま、髪を洗って、流して、湯をしぼって切ってると、顔に泡をつけて叩くように洗いながらの巻子がこっちを見て、急に思いだしたような様子で、「なあ、仕事はうまいこといってんの」と妙に明るく訊き、「あんた東京何年になるんやっけ、五年？　今年で六年目？　どうなんよ」となお明るさをもって続けるので、わたしは一瞬、言葉につまるも、「まあ、まあまあまあ、」とさらにうえをゆく明るさでもって笑いながら、「大丈夫ですよ、そら、」とさらに笑い顔を重ねてみた。なにひとつうまくゆかぬ仕事、というか仕事、にもなってないただの希望、というか、そんなようなもののこと、それは自動的に自分の年齢をも連れてくるもので、それらを思うと、それらについて考えてしまうと、それは途端に全停止、っていうか、単純にもう動けなくなってしまう、どうしようもないものであるのだけれども、「や、今年に入って巻ちゃん、わたし、うまくいきすぎ」などと言葉を足して、さらに笑って誤魔化した。巻子はほっとした様子で、そっか、と受けて、あんたの仕事のことはようわからんけど、悔いのないように、がんばるんやで、と云って、洗いにもどった。

ひととおりが済んだあと、またミルク風呂に浸かることにして、そこでわかったのは巻子は見ようとして見ているというわけでなく、自然に目が捉えてしまうという感じであり、立ち代り入れ替わる胸をさらにがんがんに目に入れているので、わたしもなんとなくそれにならった。

入り口からまるで違う重力に支配されてるぐらいの、のっとりのっとりやって来た老女を巻子はわたしにこっそり示して、「見て、あのピンクの乳首」と低い声で云った。「あれピンクすぎると思わん。なんであんなピンクやの」「や、もうお年で、色素がないっていうか、体質っていうか」「乳輪も、わからんくらいに色がない。あれはきれいに境目がない」「うん」「たまにおるねんな、若い子でも。はあ。まあだいたい不自然な色の抜け方ってのはハイドロ使ってんねんけどな」「なに、ハイドロって」「ハイドロキノン、漂白剤の一種」と巻子は短く云って「それかトレチ」「トレチ」「トレチノイン。ぼろぼろめくれる。これふたつで最強。でも高い」とつけくわえて、じっと黙った。それからまた別の、二十代の半ばぐらいかと思われる比較的若い体をほらと示して「あの子まだ若いのに靴下」「え」「大きいのもええけどな、ゆうても脂肪やから場合によってはああいう感じになくなるわけよ。なくなりかたはそれぞれやけど胸なんかゆうたら水風船みたいなもんで、ぱんぱんのときはええけども人によってはあのように靴下になるのです。あれ見てみ、足入れてない男もんの靴下二枚ぶらさがってるように見えるやろ」

と巻子はさらに低い声で、顎の辺りまで白いミルク風呂に浸かりながらわたしに云った。そう云われてみればその体がかがんで見えたときなどの様子は確かにぺろんというかぷらんというか、長さはたっぷりあるのだけど厚みがなくてゆえに靴下そのものといった形状であり、そう云われれば靴下となんの違いもないように見え、余計なお世話であるけれどあれは寝転んだ時はどのようになるの、とか、もっと余計なお世話であるけれどもこう、揉まれるなどの機会にはどのようにして揉まれるのですか、揉むというよりはもしかして握る的な、というかの感じでなんだかとても色々で、わたしもじっと見入ってしまった。そのほかにも巻子は次々にやってくる様々な形の胸を指してはロケパイだのカニパイだのあれこれとぼそぼそと感想を云うのやったが、いわゆる巨乳の体がずいずいとミルク風呂に分け入ってきたりすると、あからさまにしゅっとした感じになって、出て行くとその巨乳についてひとくさり、しかしそれがひとしきりつづいた後はすこんと無口になってしまい、もうそろそろ出るのかと思うと、そのミルク風呂のミルク色に波打つ水面をじっと見つめ、それからタオルをとった自分の胸をいきなり現し、わたしの顔をじっと見て、「どう思う」と訊くのであった。

「ど、どう？」とわたしが訊き返すと、「色とか、大きさとか」。小さい・黒い、でも大きい、が、すかさずわたしの頭を走り抜けたが、その走り抜けは見逃してとりあえず黙ったままいると、「小さいかどうかは、いいわ。色。あんたから見て、黒い？　正直にゆって」と化粧を落としたなんともいえん植物のような顔でもって真剣に巻子は訊くのだから、「や、黒くはない」と反射的に云ってしまい、「じゃ、これ普通の域？」とつづけて問うので、「や、普通っていうのが大体どういう、」「あんたが考える普通でいいから」「や、普通っていうのはどの意味においても本来、ないので、そういう考えをだいたい、」と云うわたしの言葉を遮って、「そういうの、もう、いいから」と平らな声で云うんであって、「うーん、じゃ、ま、ピンクでは、ないよね」とわたしが云うと、「ピンクでないことぐらい、知ってるよ」「あ、そっか」「そうや」という具合になって、そこから会話がつづかなくなってしまった。たしかに、一感想を云わせてもらえば、きれい、とか美しさの基準はそれぞれのものであるけれども、目の前の巻子の胸は、蚊にさされた程度の膨らみしかなく、そこに何かの操縦パーツかと思えるくらいの縦にも横にも立派に大きい乳首がついてあり、それにたいしてうまい言葉が見当たらず。それからしばらく、水面にちょうど胸を乗せるというか乗せる分量もないのやけど、見える位置に中腰なったまま立ち、「黒いやん。あたしの黒くて巨大やん。知ってるよ、あたしのがきれいでないってことは」と巻子は鼻で息をつくので「でも、感じかたは、人によると思うけど」とわたしはすかさず受けたが、巻子はじっとわたしの顔を見るだけで、それについては何も云わなかった。それから巻子は溜め息をついて、そやけどこれでもだいぶとましになったほうやねん、と打ち明けるように云った。「あたしも子どもを生むまえはゆうてもここまでじゃなかった。そんな変わらんと云われるかもしれんけど、そら滅茶苦茶にきれいではなかったけど、そやけど、これ見て。これはないよ。色も大きさも何でここにお菓子のオレオがっていうこれはないよ。ま、オレオの今はまだましで、最強の時はアメチェ色、知ってる？　アメリッカンチェリーな。あの色、すんごい色な。ただの黒じゃないな。赤が混じった黒っていうかな。大きさもな。なんていうの、乳首だけで、乳首部だけで余裕でペットボトルの口くらいになってさ、先生にあたし、これ赤ちゃんの口に入るかなあって真剣に云われたし、今まで何万個も乳首みてきた先生が腕組んでうなるっつうぐらいのもんやったわけで、んで結局これで、中身全部出て、それまでのあたしが持ってたぶんまで全部出て、なくなって、ぺたんこんなって。乳首から、何もかもが出て行ってしまった。でもな、こうなるんよ。子どもを生んだらば人は。もどる人もならん人もおるでしょうけど、なる人ももどらん人もおるねんよ。あんたもこの先に子ども生んでも生まんでもかも知れんけど、今の自分のそれじゃなくなってこのどんどん形が変わっていくこれ、乳首からどんどんなくなってった全部、どこにいくのん。んで残ったのは結局これ。縮んで、こんな乳首だけついて、こことかもう、ほら、べこべこんなって。何もないねん。ここにはもう」

それからしばらくふたりは黙って湯に浸かり、サウナに移り、そこで巻子は珍しく別れた緑子の父親の話をした。

「あの人がゆうたことで今でも覚えてて、今でも訳のわからんことがあるねんな。あたしまるまま覚えてるねんけどな、あたし記憶してもうてるねんけどな、あたしと一緒になる前からあの女おって、ずっとおって、おりっぱなしで、最初からあっち戻るてわかってって、ほんならなんであたしと子どもを作ったかってことあたし訊いたわけ、わかってるやんそんなこと、本人やねんからさ、東京にもどるてわかってるやん、自分の情況とか相手のこととか気持ちとかさ。ほんならあの人な、なんてゆうたと思う、これあんたにゆうたっけ、前にゆうたっけ、あの人な、云うで、『子どもが出来るのは突き詰めて考えれば誰のせいでもない、誰の仕業でもないことである、子どもは、いや、この場合は、緑子は、というべきだろう、本質的にいえば緑子の誕生が、発生が、誰かの意図および作為であるわけがないのだし、孕《はら》むということは人為ではないよ』ってな、嘘くさい標準語でな、このままをゆうてん。あんたこれの意味わかる？　あたし訳わからんくて今もわからんくてさあ、何をゆうてんのかがわからんのよ、んでそっからあんたも知ってのとおりになって、んであんときに、あたし生まれて初めて鼻血が出てんなあ。鼻血ってさ、出やんもんやん、女ってあんまり。あんた出たことある？　鼻血。ない？ないよな、でもあのときあたしめっちゃ出てさ、初めて。なんかたらって。あれきり。鼻血は、あれきりやけど」

それからわたしらはシャワーを浴びて、脱衣所へ出て体を拭き、巻子は髪の毛は自然に乾かすというのでふたりとも濡れたまま出た。帰り道はずいぶんに暗くなっていて、昼間の熱気の残りが夏特有の生暖かさに変化して、空気のそこらじゅうをぼこぼこと埋めておった。巻子は隣を歩きながら、「あんたまだその癖治らんのなあ、髪の毛いじくるんなあ」とわたしに云い、「そうや、まだめっちゃ触る、わたしな、なんやろねえ、これな、このがたがたの癖のあるこの一本を指先で調べて、抜いてから触るの好きで」とわたしは答え、「小学校んときとかこうやって髪の毛触るん好きすぎて、好きすぎて境目がなくなって、気いついたら自分飛び越えて隣の子の髪の毛触ってたん」「それは迷惑」「な」というような話をし、みっつめの角を曲がったところに昔っぽい風情の駄菓子屋が凛《りん》としたたたずまいで今もあるので、ここでアイスでも買ってったろか、や、もうすぐご飯やし、などとやり取りしながら、結局買わずに歩いて、訊くつもりはなかったのに、さっき風呂屋で気になったことが、思わず口から出た。

「なあ、巻ちゃんさ、さっきのさ、……巻ちゃんの話わかるし、こう、自分が思う、きれいほうがいいってのも、わかるねやんんか。自分にしかきれいさっていうのはないし、そりゃそうやんな、自分がきれいって思えるほうがいいし、それはいいねん、自分のことやしな、でもな、体にはさ、自分の体にはほかにも胸以外にいっぱい部分あるのに、例えばな、顔とかさ、もっと安全っていうか、きれいにしてわかりやすいとこっていうか、あると思うし、や、整形とか、そういう意味じゃなくてな、っていうか豊胸ってゆっても、わたしも全然知らん世界やけど、調べてるとは思うけど、ほんまにそれが、一番、っていうか、大事かねえ、たとえば肌とかさ、その、もうちょっと太ってみるとか、なんかまず、ってとこで、いっぱいあるやんって思うねんな、その、若さ取りもどす的な方向でっていうんやったらば。でもなんで、そういうのすっとばして巻ちゃん、胸だけがそんな？　豊胸したら、巻ちゃんどうなる？　どうなれる？」

巻子はしばらくしてから足を止めて、わたしの顔を見て、一瞬小さく口を開いて、「若い、とかじゃないねん」とぽつりと云った。それからまた何かを云おうとしたけれど、わたしも巻子の顔を見て待ったが、歩き出して、結局そのまま歩いて家に着いてもそこからそれについては何もしゃべらなかった。

○　お金のことでお母さんといいあいになって、なんであたしを生んだん、ってこと前にすごいケンカしたときにはずみでゆうてもうたことがあって、あたしはそれをよく思いだす。セリフ的にまずいなって思ったけど、いきおいで仕方なくて、お母さんは怒ってるねんけど、黙ってしまって、すごい後あじが悪かった。あたしはお母さんとはしばらくしゃべらんとこうかってかんがえてて、しゃべったらケンカになるし、またひどいことゆうてまうし、働いてばっかりでつかれてるの、それも半分、いや、全部、あたしのせいやって思ったら、厭厭厭ではやく大人になって一生懸命に働いてお金をあげたいけれど、今はそれができんから優しくぐらいしてあげたいけど、でもうまくできひん。涙がでてくるときもあります。卒業をしたあと中学校はまるまま三年あるから、卒業したら、どこかで働いたりできるのかなとかも思う。でも、そんなんで働けるようになったって、ちゃんとした生活がちゃんとつづいていけるようになるとは思えない。手に職をつけなければならない。おかあさんは手に職がない。おばあちゃんがゆうてた、手に職。あたしら向けにも、一生の仕事を考えるって本もようさんあるから勉強する。あー最近はお風呂にさそわれてもいかれん。ケンカは、お金のまえに、ゆうてからあっとおもったけど、かわいそうやけど、お母さんの仕事のことでそうなったんやった、お母さんが仕事の服をきて、しかもあの紫のやつらしいので、自転車で走ってんのを男子に見られて、お母さんのことをみんなの前で面白おかしくゆわれたことがはじまりやった、そのときにみんなのまえで笑ってごまかしたあたしも厭で、んで色々あって、最後は、泣きそうな顔で仕方ないやろ、食べて行かなあかんねんから、ってお母さんが大きい声で言ったから、あたしはそんなんあたしを生んだ自分の責任やろってゆってもうたんやった、でもそのあと、あたしは気がついたことがあって、お母さんが生まれてきたんはお母さんの責任じゃないってことで、あたしはぜったいに大人になっても子どもなんか生まへんと心に決めてあるから、でも、あやまろうと何回も思ったけど、お母さんは時間がきて仕事に行ってもうた。

緑子

家に着くと緑子は壁にもたれてテレビを見ていた。それから晩御飯は近所の中華料理屋で食べることを決め、わたしはいか料理をいくつか注文し、巻子は白湯麵を、緑子は中華饅頭を指さして、そのほかに分厚い皮の餃子を注文し、豆腐がどうされてるのか縮れ麵のようになった食べ物、などをとって黙々と食べた。巻子も緑子も黙ったままやった。

饅頭と一緒に出されたスープの陶製の碗は少し欠けており、あ、あぶないかも、とわたしは思ったのやったけど、それを知らずにそこから飲んだ緑子の唇がぷつっと小さくひっかかって点として破れるところを想像してしまう、今日まだ一言も口をきかない緑子の唇のなかには、真っ赤な血がぎゅっとつまっていてうねっていて集められ、薄い粘膜一枚でそこにたっぷりと留められてある、針の本当の先端で刺したぐらいの微小な穴から、スープの中に血が一滴、二滴と落ちて、しかし緑子はそれには気づかず、白いスープのゆるい底に丸い血は溶けることなくそのまま滑り沈んでいくのに、やっぱりそれに気がつかずにその陶器の中身の全部を自分ですべて飲みほしてしまう。濡れた、その薄い唇が合わさるすきまに赤い丸の輪郭がちゅるっと消えて、消えて、消えて、とやってると、どんがらがっがんという派手に爆発する音が聞こえて、それに重なるようにオルゴールのなんか繊細な音も聴こえて、それは中華料理屋の店員がいきなりテレビをつけたためであり、そのテレビは神棚のような変色した頼りない木製の備えつけの台にはみ出ながら置かれてあり、それを支える部というか棒部もなんだか油で腐ってるように黒くて細くて、その均衡を見てたらその均衡自体がどうにも気になりだして、この食事中に落ちるのではないかという気にどうしてもなってしまい、誰に訊いても仕方はないが、なあ緑子よ、あのテレビ落ちるか落ちひんか、と思わず訊くと、ちらと見やって、腰巻から取り出す小ノートに〈わからん〉と書き、そして〈でも落ちても下に何もないからいいんちゃう〉とつづけて書いた。

それからしばらく三人は咀嚼《そしゃく》の音、水を飲む音、食器を打つ音だけをさせてそれぞれテレビの画面を見上げ、わたしだけが神棚の具合にそわそわとしてるものやから気を散らそうと、なあ、巻ちゃんが仕事行ってるときいっつも何してん、と話しかけた。緑子は〈宿題、テレビ見て、寝たら朝〉と書き、でも巻ちゃんが家出るんて八時過ぎで帰ってくるんが一時くらいやから五時間なんかあっという間やな、と続けると、緑子はうなずき、それからまた咀嚼が続いた。

するとさっきから一言もしゃべらずにテレビに集中してたように見えた巻子は、わたしと緑子のやり取りのあいだに、妙に明る気な口調で、あたしな、帰ったら一番にすることがあります。それは寝てるこの子の顔見るねんよ、と割りこんできた。緑子はそれに対して怪訝《けげん》な顔をして、一瞬巻子の顔を見たけど何も云わず、中華饅頭の白い膨らみの真ん中あたりに両方の親指をあててめくるようにして割り、具の出かかったところに小皿についだ醤油をつけ、それからそれを半分に割り、少し間をおいてそれをさらに半分にし、またそれにも醤油をつけて黒くなったところをじっと見た。緑子は饅頭に醤油をつけてつけてを繰り返して、醤油はぐんぐん滲み込んで饅頭は真っ黒になり、わたしもその滲み込みがどこまでしみこむものなのかをじっと見ていた。

巻子は、なあ、とわたしと緑子の視線を饅頭から剝《は》がそうと声を出して、見れば巻子の鼻の先端は、さっき銭湯で洗顔したにもかかわらず、脂でてらてらに光っていて、蛍光灯の下では肌のおうとつが細かな影をどこよりもようさん作る。それからその顔の中の口を横に広げ、大きな笑顔を作り、んでな、んでな、聞いてる、あたしな、かわいいなあ、思ってさ、ときどきちゅうしたりするねんよ、寝てる緑子に、と箸の先をひらひらさせながらわたしに向かって云った。すると巻子がそれを云った瞬間に、緑子の顔の色と硬さがぎゅんと変化してそれからものすごい目で真正面から巻子を睨《にら》んだ。わたしはそれを見て、あ、と思いつつ言葉が出ず、その目は緑子の顔の中でますます強く大きくなるよう、それを見た巻子は、一瞬顔をこわばらせて、なにやの、と小さく静かに云って、なにやのその目、と巻子は静かに続け、あんたいったい、なんやの。

緑子は目をそらして、それからメニューが掛かってある壁のあたりを見つめ、しばらくしてから、小ノートに〈気持ちわるい〉と書き、それをテーブルのうえに開いて見せて、ペンでその〈気持ちわるい〉の下に何度も何度も線を引いた。力を入れすぎて最後はペンの先で紙が破れた。それから醬油の皿の中にある全体がしっかり黒くなった中華饅頭のちぎりはしを口に入れ、醬油のたっぷりしみこんだ饅頭を結局すべて口に入れて飲みこんだ。巻子は何度も引かれた線とそのうえにある文字をじっと見て、それきりに黙ってしまい、わたしも黙って、それからちょっとして、醬油、えぐない、と訊いたが、緑子はそれについては何も書かなかった。テレビから色つきの色々の音が流れてくるだけで、三人は黙ったまま残りの食べ物を残さず食べた。

○　卵子についてこれから書きます。今日、あたしが知ったのは卵子は精子とくっついて受精卵になって、それにならんままのは無精卵という、とここまでは復習。受精、それは子宮でそうなるんじゃなくて、卵管というところでそうなって、くっついてくっついたのが子宮にきてそこで着床、するのらしい（しかしここが全然わからない。どの本を読んでも絵をみても、やっぱり卵巣、から卵子が飛び出すときの、手みたいな形の卵管に、どうやって入れるのかがわからない。ぽんと出る、とか書いてあるけど、どうやって。すきまにはなにがあんのかなぞ）。それから、どう考えてよいのかわからないこと。まず、受精して、それが女であるよって決まったときには、すでにその女の生まれてもない赤ちゃんの卵巣のなかには、（そのときにもう卵巣があるのがこわいし）、卵子のもと、みたいなのが七百万個、もあって、このときが一番多いらしい、そして、それから、その卵子のもとはどんどんどんどん減ってって、生まれたときにはそれが百万とかにまで減って、絶対に新しく増えたりすることはないのらしい。それでそっからもどんどん減ってってって、あたしらぐらいの年になって、生理が来たときには三十万個くらいになって、その中のほんのちょっとだけが、ちゃんと成長して、その、増えるにつながる、あの受精、妊娠をできる卵になるのらしい。ちょっと考えたらこれはとてもおそろしいことで、生まれるまえからあたしのなかに人を生むもとがあるということ。大量にあったということ。生まれるまえから生むをもってる。ほんで、これは、本のなかに書いてあるだけのことじゃなくて、このあたしのお腹の中にじっさいほんまに、今、起こってあることやと、いうことを思うと、生まれるまえの生まれるもんが、生まれるまえのなかにあって、かきむしりたい、むさくさにぶち破りたい気分になる、なんやねんなこれは。　　　　緑子

部屋に帰ると、巻子は何事もなかったかのようにやはり明るく色々なことに振舞うので、わたしもそれに合わせ大げさに笑ったりをしてしゃべりまくり、そうやこの部屋は本当は、畳でしょう。絨毯を敷いてますけど、本当は畳で、畳の部屋に越してきたらまず初めにすることはなんですか。それはダニ殺しなんだけれども、それ専用の殺虫剤っていうのはこう、ぶっとい針があってね、それは電話線みたいなくるくるとなった線で本体に繋がれておって、そのぶっとい針をね、畳に突き刺すのな、んで本体の発射ボタンを押すとその針の先端からダニ殺し成分がぶしゅっと出て畳の内部に行き渡って畳内部に生きてたダニは死んでしまってダニのいない生活を送れるようになるのだけれど、

引越というのは始終混乱していて色々なことが同時多発的に出現するので、わたしなんてひとりでの引越やったから、開封しつつ仕分けしつつ壁を拭きつつ荷物を抱えてさらに前が見えないという状況でこの部屋を形作っていくということを引越というものは要求するのであって、こう、畳に、連綿、盛り盛りになった品々の隙間を感覚でほっほっほっ、右左右、の感じで飛びつつ移動したらその針部が、上に向いて置かれてあって、最後の着地の際にわたしの足の裏の土踏まずにそれは根元まで突き刺さったわけ、あ、と思ったけれどそれはでも全然痛くなくって、血も出るどころか、まあ刺さってるあいだは血は出ないらしいけれども、こう、針のまわりは白くなっててじっと見てたら、足の裏から何かがびよと伸びてるのはなかなかないでしょ、わたしは荷物を降ろしてそれをじっと見てさ、んでこのまま本体の発射ボタンを押したらどうなるのかということが頭に浮かんで、そんなことしても意味もなし危険ということははっきりしわかってるねんけども、なんとなくボタンに人さし指当ててみたりしてそんなことを残りの半日ずっとしてて、針の突き刺さってるのを、足の裏を、ずっと見てて、足の裏から電話線みたいな、臍《へそ》の緒とかさ、見たことないけど、なんかそんなようなイメージが、繋がってるもんがわたしの足のなかに、入ってるのを見て、針をどうしても抜く気になれんかった、んで全然痛くなかったしそのまま眠って、次の朝に抜きにくかったけれども引き抜いて、それからまた引越のつづきをした、それがわたしの引越の思い出。

緑子は聞いてんのか聞いてないのかは定かでないけれど、話を拒むふうでもなく黙って、自分の荷物の横に三角に足を折って座り、まるめたひざのうえにまたべつの、会話用のよりも大きなノートを乗せてそれに向かってペンを小刻みに走らせていた。

巻子は明るい調子で、わあ危ない、とか云って笑い、そこから自分の救急の点滴における失敗談などを話し始めた。うっすら血管の浮き上がったこめかみには汗が垂れてしみのうえを落ちていった。目のしたには隈《くま》とたるみが同時にあって、今日何度思ったかわからん、巻子はとても痩せたな、を思い、わたしはさっきからリモコンを探してるのやけれど一昨日からどうしても見当たらないために昼間と同じように立ち上がって温度を二度上げた。

そのついでにたんすの上に立てかけてある鏡に自分の顔が映ったのに気がついて、巻子の話す声に相槌を打ちながら近づいてって自分の顔をじっと見てみた。口元が、こんなにゆるかったか、と思うほどに何かが減っており、思わず顎から頬を手のひらで包むようにして持ち上げて、手を離す、持ち上げて手を離す、を繰り返してると、わたしは母の顔のことを思い出す、ということを思い出した。

母の顔は、友達に自慢の出来る具合のわかりやすい美人で、しかしわたしらは母にはまったく似なかったので、よく行く近所の駄菓子屋のおばちゃんにはあんたらはお母さんだけで生まれてきたらお母さんのまんまの顔やったのにねえ、混ざったから、しゃあないわねえ、あんたらのお母さんはほんまにきれい、と笑いながらに云われたことなどを思い出して、肝心な母の顔は詳細を思い出せんのやった。

自分の顔から逃れるようにして、座ってる緑子を見やれば、そこは一枚肌で張り切った肌色、もちろんどこにもムラはなく、まつげは密集してここから見れば伏し目になってるその縁がとてもくっきりしていて、それは普段わたしが細かい皺のうえを震わせながらアイラインを何度も何度も注意しながら引いて作る輪郭とは次元の違うものやった。小さい耳の斜め後ろ高い部分でくくられた髪は、巻子に最近は触らせないらしく、自分でくくってるせいかまとめきれずに所々飛び出てはいたけれど、頭の形、こめかみの白さ、鼻の反りかた。そのひとつひとつを追うと、そこにあるすべてが何らかの完璧、そのものであるように思えた。そして、緑子は、自分の今の完璧さ、というものに気がついてるのやろうか。わたしにも今の緑子と同じ年齢やった時があったはずやのに、そのときの自分のことがもうどこを探してもわからない。

そんなことを考えながら緑子をじっと見てたのに、知らんまに緑子の目は閉じられて、気がつけば眉間に思い切った皺が寄ってる、じっと見てると膝のうえで広げた帳面の端を両手でしっかり握ったまんま緑子はうつむき、その開かれた白い紙の中へおでこから顔ごとを苦しそうに埋めて、しばらくするとそのまま眠ってしまった。

○　お母さんとはあましゃべらず。っていうかまったく、お母さんはなんか豊胸手術、について、毎日調べてて、あたしは見んふりしてるけれど、でも胸、うそものの なんかいれておっきい胸にするんやって、信じられへん、だいたいそれって何のためによ？　って何のためにか仕事のために？　考えられん。気持ちわるい気持ちわる気持ちわる気持ちわる気持ちわる気持ちわる、テレビでみたし写真もみたけど、手術ざっくり切るのやで。ぐっぐっておしこんでいくのやで。いたいのやで。お母さんはなんもわかってない。あほやわ、あほすぎ、あほすぎ、なんで、モニターするってきこえて、ゆうてて、モニターっていうのは顔が雑誌にでたりするから、ただでやってもらえるやつのことで、それもほんまにあほやとおもう、火曜日からめっさ目の奥がいたい。あけてられない。 緑子

夜中、お尻の割れ目、尾てい骨あたりに濡れた感じを感じて腰からパンツの中に手を入れてみれば指先がぬるりとして、暗くても生理になったのだということがわかり、右隣に寝てる緑子をまたいでトイレに行けば、今日は何日、起きぬ頭が綿のように重い、たぶん予定としては、十日前後、早い計算で、思えば先月も、その前の月も少しずつ、この一年で生理周期は巻きでやってくるようになっていて、そのつどつどに驚いていたのやけど、これという原因は見当たらずに最近は慣れてしまったけれども二年前まではそれまでのもう二十年以上、初期を除いて二十八日の周期でそれは定規で測ったみたいに正確にやってきていたのに最近はなんやろうか。

直前の腰の重みも鈍痛も知らんうちになくなっていて、周期を乱して突然に生理がやってくること、わたしは赤黒く痕《あと》のついた下着の股の部分をなんとなくぼんやりした頭で見ながら放尿し、それは寝ぼけたなりにも驚くほど長い放尿で、その音を聴きながら股の部分についた血をぼんやり見ていれば、それはなんだか日本地図に見えないこともなく、大阪がこのあたり、んで行ったことないけど青森が、とか思いながら、ああ汚したの、めんどい、洗濯の準備、めんどいなあ、風呂場に持って行って水に浸けるの、めんどい、なのでパンツの輪から足を抜いて、抗生物質を定期的に飲んでると体臭がなくなるという話はほんまかな、を思い出してなんとなく臭いを嗅いでみた。そしてそれをまるめてティッシュに包んでから足元に置き、新たにティッシュを手にとっていい具合に四角に畳んで漏れぬよう血を吸うように、指でちょっと押し込み気味に股に挟んで、挟まったままの体勢で丸めたパンツを台所の燃えるゴミ袋まで行って底のほうに捨て、それからたんすのところまで行って生理用の股部のしっかりしたパンツを探して、持って、トイレに戻ってナプキンを棚の上の箱の中から取り出して、股のティッシュを便器に捨てて、ビニルをひっぱりめくって装着してそれをはいた。ああナプキンは股の布団であるな、を思いながら、体はぼんやり部屋の布団の中に戻り、半分が眠りで白い頭のどこかで、あと何回、ここに生理がくるのかを考え、それから、今月も受精は叶《かな》いませんでした、という言葉というかせりふというか漫画のふきだしのような意味合いが暗闇にふわりと浮かんでくるのでそれを見た。それはわたしへ向かってるのか、ただ浮かんでるだけやのか、や、受精、受精ですか、いや、今月も来月も受精の予定は、ないですよ、とわたしはぼんやりした音のない意味で答えます。それから自分の背丈を越えた柱のような巨大な赤鉛筆を抱えて、さらに巨大な紙に、大きなしるしをつけてゆかなければならないというような心象がたちこめて、重さだるさに意識がねっとりと沈んでゆくなか、生きてゆく更新が音もなく繰り返される。わたしの頼りのない声がわたしの中で響いているのが少しずつ聴こえなくなって、次第にどこからもそれが完全に見えなくなる。

○　最近はものを見てると頭がいたい、最近はずっと頭がいたい。目から色んなものが、入ってくるのか。目から入ってきたもんは、どっから出ていくのでしょうか。どうやって出るのか言葉になってか涙になって、でももしか、泣いたりもしゃべったりもできん人やったらば、そうやって目にたまったもん出していけん人やったらば、目からつながってるとこ全部ふくらんで、いっぱいになって、息をすんのもしんどくなって、それからどんどんふくらんで、目はもうきっと、あかなくなってしまうでしょう。　　　　　　　　　　　　　　　　　　　　　　　　　　　　　　緑子

巻子が眠る前に、次の日は午前中に家を出てこっちの友人と会うのだ、と云ったことをわたしは忘れていて、目覚めてから巻子はどこへ行ったのかと数秒戸惑った。普段なら眠ってるあいだに睡眠が冷却して散らすはずの熱が、喉の内側ではらはらとくすぶって、目の奥がぼってりとして冴えない、しばらく横になったまま、そうや巻子は、こっちの友人に会って、それからそのまま銀座に出て例のクリニックのカウンセリングを受けてから帰ってくるので、もろもろで五時ごろに戻るよと云ってたわ、の記憶をなぞり、隣で緑子はすでに起きているけれど、布団に入ったままうつぶせになって大きい方のノートを開いて、見るからに筋を違えてまいそうな角度の色々でペンを握って何かを書きつけてる。

銀座なんて初めてやというし、どうせ休みなのやから、ついていってもいいよと云ったのに大丈夫とかなんとか云って、時計は十二時半をもう回ってる、わたしは普段は朝食をとらんしさらに普段このあたりはまだ眠ってる時間でもあるからうっかりしてたが、緑子は朝食が必要やろうと聞くと、小さいほうのノートをめくって、〈さっきパン食べた、もらった〉と書き、焼いた？　と訊けば緑子はうなずき、そう、何でも食べよし。緑子はこちらを見てもう一度うなずき、また顔を帳面にもどして手を動かした。

○　胸について書きます。あたしは、なかったものがふえてゆく、ふくらんでゆく、ここにふたつあたしには関係なくふくらんで、なんのためにふくらむん。どこからくるの、なんでこのままじゃおれんのか。女子のなかには見せあって大きくなってるのをじまんする子もおったり、うれしがって、男子もおちょくってみんなそんなふうになってなんでそんなんがうれしいの、あたしが変か？　あたしは胸のふくらむのが厭、めさんこ厭、死ぬほど厭や、そやのにお母さんはふくらましたいって電話で豊胸手術の話をしてる、病院の人と話してる、ぜんぶききたくてこっそりちかよってってきく、子ども生んでからってゆういつものに、母乳やったので、とか。毎日毎日毎日毎日電話して毎日あほや、あたしにのませてなくなった母乳んとこに、ちゃうもんを切って入れてもっかいそれをふくらますんか、生むまえにもどすってことなんか、ほんだら生まなんだらよかったやん、お母さんの人生は、あたしを生まなんだらよかったやんか、みんなが生まれてこんかったら、なんも問題はないように思える、うれしいも悲しいも、何もかもがもとからないのだもの。卵子と精子があるのはその人のせいじゃないけれど、そしたら卵子と精子、みんながもうそれを合わせることをやめたらええと思う。　緑子

窓の外、この建物の外、蟬が雨降りみたいに鳴きまくり、いったいあれくらいの大きさの虫がどれくらいの数を集まるとこれくらいの音を発するにいたるのか、などとさっぱり追うつもりのないことを気まぐれ、耳のうぶ毛にねっとりしゃんしゃんまとわりつくのをしばし積んでいたけれどしかしそろそろ布団から出ようとめくってみれば、昨夜の生理の血の痕がシーツに大きく残ってるのが見えて、あ、めんどい、こんな失敗は何

年ぶりの、このぶんやと布団にまでいってるかもしれんなあという予想に息を吐きながら、脇のチャックを引っ張って中から布団を抜き出して、シーツをくるみ持って風呂場へ行った。

生理の血というのは湯で洗ったら固まってしまうので水で洗わなければならないということだけをわたしは覚えていて、血には水、広いシーツの中の血の部分をつまみ出して洗面器に洗剤を溶かしてそこに浸けながら洗ってると緑子が来た。わたしはしゃがんだまま振り返って見上げ、黙って立ってる緑子に、昨日失敗して、洗ってんねん、と云うと緑子はそれには返事をせずに、わたしの手とシーツの動きを黙ったまましばらく見ていた。狭い風呂場にシーツをこするこそばゆげな音と洗面器の中で水の跳ねる音だけが響いて、緑子はしばらく風呂場の中をじっと見下ろしていた。わたしは、水やねんで、血は水やないと落ちんので、と泡の中で血がとれたかどうかを確認しながら、布を握って曲げた指の関節と関節をぶつけるようにこすり合わせて、独り言のように後ろの緑子に云い、緑子はそれにも答えんので顔を見ると、うん、というように首を動かしてから部屋に戻った。わたしは水で十分にすすぎをして濡れたとこをつねって絞り、小窓から入ってくる光に透かしてあとの残ってないことを注意深く検分し、まるめて抱えて、そのまま屋上へ出ようとしたら、緑子が玄関までやってきて、〈屋上行くの〉と小ノートに書くから、干しに行くねん、行く? と訊けばうなずくので、わたしはサンダル緑子はスニーカーをすばやく履いて廊下の突き当たりにあるひとりが通ればそこは埋まってまう細長い階段を上っていった。

シーツを干してもどって来て、なんか食べなと思ってはみても、冷蔵庫には飲み物と葱とドレッシング、味噌ぐらいしかなく、開き戸の内側にはびっしり玉子だけが並んであって、プラスチックの棚にもパックで十個入りのがまるまる残ってあるだけで、先週に、まだ先に買った分が残ってあることをうっかり忘れて重ね購入したのを思い出して、どっちか腐ってるやろかと日付入りの紙切れを見れば、戸の内側のは賞味期限は明日まで、パックのほうも明日までで、しかしこのような大量は今日明日での消費は無理、わたしはパックのほうを取り出して流しの脇に置き、生ゴミの袋をつくらな無いな、と思い、玉子の捨てかたはいつも割って中身をほかすか、そのまま投げ入れるかそっと置くのかがようわからない。などと思いながらとりあえずお昼は緑子を連れて家を出て、駅前で何か食べようと歩けば、その道々に、緑子とおなじ年くらいの子どもらが数人めいめいの声をあげながら全速力で駆けてきてそれから前後ろへ抜けて行った。

緑子はそれをぶんと振り返り、小ノートに〈知ってる子ら？〉と書き、や、名前とかどこの子とかまでは知らんけど、休みに入ってからあのかたまりはよう見るわ、夜はあそこの神社で毎晩毎晩花火して、音けっこうすごいで、と云うと、〈昨日は音しやんかった〉、そして続けて、〈花火、子どもんときは、ちびるくらいおもろかった〉と書くので、子どもんときってゆうたってあんた最近のことでしょうよ、とわたしは笑って、そうや、緑子よ、ほんなら今日の夜花火しよよ、そうや花火しようや、わたしも何年、全然花火なんかしてへんし果たしてこの年になってさきっちょからカラフルな火が出るってことを心底楽しめるかどうかはわからへんけども、な、今日花火しよ、しよや、と繰り返すと、ええ、というようなためらい顔をして困ったような振る舞いをしつつも少しうれしそうな目をして立ち止まって、〈せっかくやから、いっぱいしたい〉と書き、いいよいいよ、そしたらこれをあげるから、これで花火買うのと、余ったらほかの買ってもいいし、持っててもいいよ、と云ってわたしは財布から五千円札を取りだして緑子に渡した。緑子は、五千円札をじっと見てから、小ノートに、〈ありがとう〉と書き、真ん中の卵形に透けた白い部分を陽にあてて見た。それから、〈ここの写真の女の人、たまごみたいな顔してる〉と書き、それを折りたたんでポケットに入れ、〈花火って色んなん売ってるとこあるん?〉と訊くので、や、そんなんなんぼでもあるわよ、三ノ輪をなめんなよ、とわたしは笑って云った。

○　お母さんが寝る前に飲んでる薬があってそれはなにかと、お母さんがおらんときにみたらせきどめシロップやった、最後に見たのはきのうの夜、やのに今日はもう半分以上なくなっててこれぜんぶのんだのか。せきも出てないのに、なんのために。お母さんは、さいきんどんどんやせてる。こないだは仕事の帰り、夜やのに、夜やからか、自転車でこけたってゆうてた、大丈夫かっていいたかったけど禁止中やからゆえんでかなしい、なんでせきどめを飲むのお母さん、と、ききたい、それから、アメリカのほうにある、どっかの国には、自分とこの娘が、十五才になったら豊胸手術を、そこのお父さんがプレゼントするっていうのを知ってまじで意味がわからん、それからこれもアメリカのほうで、豊胸手術をした人はせん人より自殺する人が、三倍も多いっていうのも、あって、お母さんはそのこと知ってるんやろか、知らんかったらたいへんなこと、知ったら気が変わるかも、ちゃんと話の時をつくらな、あかん。なんでそんなことするのかってあたしちゃんときけるかな、胸の話とかはしやんと、全部、ちゃんと、したいねん。　緑子

結局、五時には戻ってくるからと云ってた巻子は六時を過ぎてももどらず、七時を過ぎてももどらず、携帯電話にかけても呼び出しは鳴らんとすぐに留守番サービスに一発転送されるので、一応そこに巻ちゃん心配してるから電話してと吹き込んだ。わたしと緑子は、遅いな、頷き、遅いね、頷き、などしながらビニルのきんちゃく状になった入れ物にびっしり花火のつまったのとバケツを用意して、ご飯は巻子が帰ってきてからまた昨日の中華料理屋に行ってもいいな、ということにしてたのでそういう具合で待っていたのやが、それが八時になり、九時になりで、慣れん東京やとはゆうても駅の名前を

忘れるということはこれ、ないはずで、そうすれば駅からこの家までは真っ直ぐを道なりに歩いてくればいいという単純なことであり、万がいちに道や駅を忘れるかなんかしたんであればわたしに電話をかけてくれれば済む話であって、ならば電話の電池が切れたのか、しかしそうであっても電源などはどこにでも売ってるのであるし、何か用事というか、電話をかけたり受けたりできひん状態に巻子はおるということで、ああこれはどないしようもあらへん、もうちょっと待ってみよ、なあ、さすがにお腹減ってるでしょ、先食べに行く？と訊けば、〈お母さんカギもってないでしょ〉と小ノート。そうやけど、ま、ドアに張り紙とかっていうのも出来るけど、と云うと、〈でもまだおなかへってないしまだがまんできる〉と書くので、そのままじりじりと待ち、緑子は最初のほうこそ、〈お母さん電車まちがえてぎゃくにいってもうたんかも。そういうとこあるもん〉などと書いてわたしに見せていたが、二人で並んでテレビが点いてるのをぼーと眺めながら、そして黙ってるのやが、なんとなくそれが普通に黙ってる以上に黙ってる感じがどうしてもしてきて、黙りがうるさいというか突き刺さるというか黙りが笑いかけてくるというかそういう様子で、玄関の向こう、階段のほうで少しでも音がするとぱっと振り向くが巻子じゃない、というのが何度かあって、何となくテレビの音量を下げるようになり、でもテレビは消さず、チャンネルを変える回数が増え、わたしも携帯電話を何度か確認して、それでも着信もメールも何もない。なあ、お昼からめっちゃ時間経ってるからラーメンあるから作ろっか、ほかにないねん、それか一個作って半分する？と声をかけても、うんとかううんとかの首の曖昧な返事、それから、緑子はいきなし体ごとすばやくこちらに向けたので、その敏捷《びんしょう》な動きにわたしも体がびくっと動き、ものすごい勢いで〈お母さん、胸のしゅじゅつのなんかが失敗して、まだびょーいんにいてるんかも〉と書き、重大な告白をするような面持ちで見せるので、「いややわあんた、その動き、びびるわ」とまじでびびったので思わず云うとそれを無視し、小ノートを閉じて丸めて握った。「や、さすがに今日の今日で手術ってことないと思うで、それはさすがに」それに対してまた緑子は小ノートを広げて、〈東京くるのかってすごいかかんねんし、おかね、今日たまたまびょーいんがすいてて、ほんなら今日やってしまいましょうかってなったら、お母さんは、ぜったいに、やられる〉と一気に書き、続けて、〈びょーいんにおらされてるようなきがする、ぜったいに、いっかいでんわしてみてほしい〉と急に心細い顔になるので、え、でも何ていう病院やったっけ、銀座やっけ、たしか銀座、と追いかけても頭の中で銀座以上の情報がどこにもかけらもないことに気がつき、みんなにとても人気があってパンフレットの紙には金をかけてた、とかそういう今現在役にも立たん切れ端がひらひらするだけで、え、緑子は名前知ってる、もしかして、と訊くと、首を横に振ったあと緑子も黙ってしまって、わたしもしばらく思い出してみたけどだい無理でパンフレットの色と輪郭、そしてそれを触ってた巻子の手の感じとかしか浮かんでこやんので、しばらくまた黙りが重くなってきた、なので出来るだけ明るく目を開き、それにしてもさ、やっぱりカウンセリングに行って当日手術というのはさすがにちょっと考えられん、と緑子に云い、するとすかさず緑子が、〈じこ、ゆうかい〉と不安ここに極まれる文字と表情でもって見せ、わたしはそれを読み、なーん、と笑って、だいたいね、こういう場合ね、予想したことは裏切られるというわたしなりのジンクスがあるわけで、これは今までのわたしのこの人生においてすべて的中してることであり、予想したことっていうのは起こらないのですよ、と云った。たとえば、地震というのもその代表的なもののひとつであって、地震が起きた、起きましたよね、しかしその起きたときっていうのは、世界中の誰一人としてその瞬間に地震のことを考えてなかったからこそ起きたのであって、その人々の予想のほんのちょっとのすきまを狙って地震というものはやってくるとこういうわけよ、と云うと、〈じゃあいまじしんになってないのは、誰かがじしんについて考えてるってことなん〉と書き、だって最低でもわたしらが今、地震について考えてるやろ、と云うと、しばらく考えて緑子、〈そんなんじしんがきたときに、ひとりもじしんのこと考えてなかったなんて、そんなこと誰にも証明できひん、だいいち全員にきけるわけがない〉と抗議するので、そうや、誰にも結局調べられへんし実際のとこがわからへんからみんなが自由に自分なりのジンクスをね、決めるっていうこういうことがちょっと素敵でしょ、と云うと、緑子はしばらく考えるような顔をして、〈そしたら、おんなじように、なにになる、とか、こうなる、とかの、予想っていうの、そういう誰の夢もかなわんことにもなるね〉とかしんどいことを云うので、ま、ま、そうとも云えるね、とあいまいに返事をしたらば、〈ジンクスってなに〉、ジンクスは、ジンクスやけど、ジンクス、ちょっと調べてみる？　とわたしが立ち上がるといきなり緑子はびくっとなって中腰になりわたしのティーシャツの裾《すそ》をつかんだのでその動きにわたしもびくっとして、なん、どこも行かんやんか、もお、びっくりするやん、辞書よ辞書、と云いながら小刻みに台所へ行き、引き出しから電子辞書を取って戻り、ジンクス、と入力、すると、因縁のように思う事柄。縁起。本来は縁起の悪いことをいう。と出て、わたしはこれを緑子に見せて、と、いうわけよ。緑子は、それに目を近づけて熱心に読み、〈なんかちょっとこわい感じ〉と書き、〈じゃあこの、因縁は〉、なのでつづけて因縁を入力、するとずらずらと長い文字が浮き出て、事物を生じせしめる内的原因である因と外的原因である縁。事物・現象を生滅《しょうめつ》させる諸原因。また、そのように事物、現象が生滅すること。縁起。となり、続けてそれを注意深げに読んだ緑子は、〈いっこもわからん、でもなんかむずこいのはわかった〉、それからしばらく辞書のボタンを色々押したあとに、はっとしたような顔になり、口をまるくあけてわたしを見て、〈もしかして、言葉って、じしょでこうやって調べてったら、じしょん中をえんえんにぐるぐるするんちゃうの〉とびっくりしたように書いたのをぽんと見せた、つづけて、〈ぜんぶ入ってるってことやの？　イミが？〉と訊くので、「まあ一応、そういう考え方も、出来るよね」と云うと、緑子はじっと文字群を見つめて考え込み、しばらくして、〈じゃ、言葉のなかには、言葉でせつめいできひんもんは、ないの〉と真剣な顔をして訊くので、わたしにはそういう不思議はないので、まあまあ、ほら、見てみ、縁と緑って、字が似てるね。などと云って、縁、ほしたら次は縁を調べてみようやないの。なる。じゃあ次は怨恨。見て、この見るからに怨恨って感じの字づら。怨恨ってうらみやて。怨恨による殺人。したら次は殺人。っていうかさ人が人を殺すときにこう包丁を持つ角度で、殺意、その殺意の強弱ってのがそこにあるってことに法律ではなっててさ、実際わたしの知り合いが、と云いかけて、や、せっかくやしもっと陰惨な言葉をひこ、なんかおっとろしいの、と気がつけばわたしと緑子は二人で頭蓋《ずがい》の鉢と鉢がごりとあたるほどに身を寄せて電子辞書、しかもこれには液晶画面を照らす機能がないからくいくい角度を変えつつ蛍光灯の光をあれして息をひそめてやってると、いきなりどばたん、というドアのでっかく開く音がしてわたしと緑子は今夜最大にびくつき、振り返れば巻子が立っており、台所は電気が消してあるので巻子の背後には廊下の蛍光灯の安っぽい光がちろちろして全体的に灰色であった。

巻子は詳しい表情はこちらから見えんものの、その輪郭で酔うているのがくっきりとわかり、「ただいま帰りましたわね」と云いながら靴を脱ごうとして既に脱いだのに脱いだ足で無い靴をさらに脱ごうとしてるので、何をやってるのか、ややこしい足踏みをしてることになってて、巻ちゃん靴すでに脱げてる、と云うと、足痒いのや、と返事をしながらうらうら部屋に入ってきた。心配したやんか、なんで電話も出やんの、とわたしが責めると、「電話は、電池が、切れてます」と答えてバッグをぽてんと絨毯に置き、よいよいよいよいとか云いながらベッドにかぶさる様に横になった。どこ行ってたんよ、とつづけて訊けば、緑子のおとんのとこやわね、と目を閉じて半笑いの顔をこっちに向けてそのように云い、化粧は剝げきっておりマスカラが散り目のまわりはもろもろが油によって分離していた。か、顔洗ったら、と思わず云うと、目をぱちりと開けてわたしを見て、顔なんかどうでもええし、と云い、聴いたことあるようなないような音階に、ブランコであなたが何や菓子を持ってきて白い雲が動物に見えて泣き笑ったが別れてしまって今どこに、というような意味合いの歌を鼻で歌いだし、緑子は電子辞書を持ったままそれを黙って見、わたしも黙って聴いていた。巻子は鼻歌から始まり、なかなかに本気の歌唱でひとしきり喉を震わせ終えると、くるりとうつぶせになって枕と枕の間に顔を埋めて、しばらくすると鼻でずうずうと大きな息をするのが聴こえた。わたしも緑子もずいぶん長いあいだ黙ったままであったが、え、でも、いまけっこう重要な感じのことが発言にあったような気がするんですけど。だって十年ほど会ってなかった夫、っていうか元夫、っていうか娘の父親に、っていうかまあ会いに行って、帰ってきて、べろべろんなって今そんな感じになってるってことですよね。とわたしは思いながら様子を見てたが、巻子は何も云おうとせんのでわたしは、まあともかく風呂入ったら、っていうか、花火をね、買ってきたのよ。明日二人帰るでしょう。そやから緑子も、と話しかけても巻子はうつぶせになったまま首を動かして聞いてますよの返事をするだけ、伸ばした足の親指の付け根からパンストが破けており、そこから見える巻子の足の皮膚は白く乾燥してかさかさで、かかとのまるみもその繊維の膜の下でささくれだっており、ふくらはぎはまっすぐでたゆむ肉もなく、乾いた魚の腹のようであった。

緑子はしばらく巻子を見ていたが、何にも云わずに電子辞書を持って台所へ行き、引き出しにもどして、電気も点けんと暗い流しの前に立って、水を流してるようやった。蛇口から細かい泡混じりに吹き出す音と、流しの銀部が水道の勢いに打たれてたてるべこべこという音と、排水口に渦巻ってゆく音のみっつを聴きながら、わたしは、緑子と巻子が二人で父親についてどういった話をしてきて、どういったあんばいになってるのかというのをこれまで聞いてこなかったし、わたしが同居してるときもそれはむしろ避けてるといったほうが正しい具合で、その話をしたことはなかったし、たとえ何を知ってたところでわたしは何も云えないのだから、とかそういうことを思いつつ、わたしは、立ったまま流しのなかをじっと見てる緑子の横んとこへ行き、冷蔵庫を開けてとくべつ何も入ってないけれど、目についたドレッシングの瓶を取りだして中身を流しのなかに捨ててみた。フレンチとか書いてあるけど味も思い出せぬその真っ白のどろりとした液体はところどころがだまになって、わたしは銀色のステンレスのうえにまるまるまると輪を描きながら中身を捨てていった、緑子はそれを見てか見ぬか水道の勢いをほとんどゆるめてドレッシングの跡と、弱弱としたちょろりとした細い水が混じりあって吸い込まれてゆくのを見て、緑子の手首から腕はあまりにも細く、部屋からの明かりでそれを見ながら誰もが黙ったままで、ああ、わたしはこんなだから、いけないのだ、と思った。

部屋のほうで音がして、巻子が起きてきてどんどんと大げさな音を立てながらこちらへ向かって歩いてき、部屋と台所の境目の柱部にもたれながら、緑子に話しかけた。巻子は酔った口調であり、明らかに絡んでるといえなくもない様子で、わたしが同居していた時に巻子は酔っ払うということは、ほとんどなかったけれどもひょっとして最近はもしかしてこういう感じなのかもしかして、と思ったが、そんなこと思ってもしょうがないわけで、すると巻子は緑子に近づきながら、あんたは、あたしと口がきけんのやったら、どうでもしい、どうでもしたらええよ、ええわ、と云い、ひとりで生まれてきてひとりで生きてるみたいな顔してさ、と昨今昼ドラでもなかなか聞けぬようなせりふを云って、なあ緑子、あたしはいいねん、あたしはええよ、と、何がいいのかそればかりを繰り返し、これに対して緑子は何も云わず、巻子に背を向けて流しのなかを見つめてるままで、これは大変にうっとうしいやろうな、と気の毒に思った。

緑子は流しに残ったドレッシングを手で引きのばすようにして排水口のほうへ流して、ステンレスには何本もの白い筋がのびて、流れる水に消されていき、わたしも緑子もそれを見ていた、返事をせん緑子に巻子はぎりぎりまで近づいてって、緑子は顔をそむけたが、あんたは、いつもあたしの話を聞いてないし、あんたはあたしをいつも馬鹿にして、馬鹿にしたらええわ、と巻子は緑子の背中から顔を強引に覗き込むように、何かいいや、と覆いかぶさるようにして云うので、緑子はそれを退けてなんとか体の向きを変えるのやったが、巻子はさらに、あんたしゃべらんのやったら、しゃべれんのやったら、あのいつものノートで、なんか云いたいことあったら得意のあれで書きや、あたしが死ぬまで、あんたも死ぬまで、と何でかえらいスパンの話になったりして、いつまであんなんつづける気いか、あたしは、と巻子は緑子のひじをつかんだ、瞬間に緑子はそれを激しく振りはらって、その際に緑子の手が大きく巻子の顔にあたって指が巻子の目に入り、巻子はいたっと声を出して、しばらく涙が出て涙が出て涙が出て目が開かなくなるあれ、になり、巻子は手のひら、中指の先などで目を押さえては離して目を開けようとばちばちさせてもうまく開かず、真っ赤に充血してきた目からは汁のように涙が垂れて、頬にだらだら広がっていったのを、緑子は口を結んで、目を押さえて涙を垂らす巻子を少し苦しそうに見ながらも黙ったままで、見ていた。

ああ、巻子も緑子もいま現在、言葉が足りん、ほいでこれをここで見てるわたしにも言葉が足りん、云えることが何もない、そして台所が暗い、そして生ゴミの臭いもする、などを思い、緑子の口の辺りの緊張した様子を見ながらに、しかしこんなこと、なんかが阿呆みたいだ、なんかがどうでもいいのだという気持ちがあって、わたしは台所の電気をぱちんとつければ蛍光灯が台所の隅々を浮かび上がらせ、巻子は真っ赤になった目を細め、一瞬まぶしそうな顔をしたが、緑子は自分の太股に手をぎゅっと押しつけたまま巻子の首のあたりを見つめ、突然に、お母さん、とすぐ隣に立っている巻子に向かって、大きな声を出した。文字通りお母さん、を口から出したのであって、わたしはその声に驚いて振り返った。

緑子は再び、お母さん、と、大きくはっきりした声ですぐ隣の巻子を呼び、巻子も驚いた顔で緑子を見た。体はぶるぶるとして顔は張りつめにつめ、ちょっと押せばぐらっと崩れる瞬前のなか、鼻で震える呼吸をしながら緑子は、お母さん、ほんまのことを、ほんまのことをゆうてや、としぼりだすような声でそう云った。お母さんは、ほんまのことゆうてよ、と緑子はそれだけを云うのがやっとで、うつむいてそのまま体中に力をこめて立ってるということに、いま何かがみなぎっていて、巻子はそれを聴いて、ちょっとの間を置き、は、はははっはっははあ、と大きな声で笑い出した。ちょ、いややわ、なによ、ほんまのことって、いったいなにをゆうてるのんよ、と緑子に向かって大げさに笑って見せて、それからまた大げさに声を出して笑ってみせて、わたしに向かって、聞いた？　びっくりするわあ、ほんまのことてなにやのよ、な、あんたちょっと翻訳したって、と驚きと不安と訴えを笑いで誤魔化す巻子はあかんと思ったが、緑子は笑い声のなか、うつむいたまま黙ってる、肩で大きく息をしてるのでこのまま泣くのかと思ったら、緑子は急に顔をあげて大きく息を吸い込んで、流しの横に廃棄のために置いてあった玉子のパックをすばやくこじ開けて、玉子を右手に握ってそれを振り上げた。あ、ぶつける、と思った瞬間に、緑子の目からはぶわっと涙が飛び出し、ほんとにぶわりと噴き出して、それを自分の頭に叩きつけた。ぐしゃわ、っていう聞き慣れない音とともにしぶきのように黄身が飛び散り、それから、お母さん、お母さん、と連呼しながらすでに叩きつけたのをさらに何度も叩きつけ、手のなか髪のなかで泡だった、割れた殻が突き刺さり、耳の穴からも黄身が垂れ、額をなすりつけるように手のひらで押しまわし、ぼたぼたと泣きながらパックからさらにもう一個を手にとって、なんで、と息を吐くように云い、お母さんは、手術なんかしようとすんの、と云ってそれを叩きつけ、白身と黄身がかぶさる様に緑子の額を垂れてゆき、涙に混じり、それを拭いもせず構いもせず緑子はさらにもう一個を手にとって、む、胸をおっきくして、お母さんは、何がいいの、痛い思いして、そんな思いして、いいことないやんか、ほんまは、なにがしたいの、と云って、それは、あたしを生んで胸がなくなってもうたなら、しゃあないでしょう、それをなんで、お母さんは痛い思いしてまでそれを、と、鼻水と黄身とじゅるりとした白身と涙でぐじゃぐじゃになった顔で巻子に云い、それから手に持ったのを叩きつけ、あたしは、お母さんが、心配やけど、わからへん、し、ゆわれへん、し、あたしはお母さんが大事、でもお母さんみたいになりたくない、そうじゃない、早くお金とか、と息を飲んで、あたしかって、あげたい、そやかってあたしはこわい、色んなことがわからへん、目がいたい、目がくるしい、目がずっとくるしいくるしい、目がいたいねんお母さん、厭、厭、おおきなるんは厭なことや、でも、おおきならな、あかんのや、くるしい、くるしい、こんなんは、生まれてこなんだら、よかったんとちゃうんか、みんな生まれてこやんかったら何もないねんから、何もないねんから、と泣き叫びながら今度は両手で玉子をつかんでそれを同時に叩きつけた、殻がまわりに散らばって、ティーシャツの襟首、顔面には白身がひっかかり真っ黄色の固まりが模様のようになって所々にくっついた緑子は立ったまま、今までわたしが聴いたことのある人の声のなかで最大の声を出して泣いていた、巻子は一歩も動かずにそれを見てたのやけれども、打たれたように、緑子っ、と叫んで、玉子まみれの緑子の肩をつかんだのだけれども、緑子がいやいやと体をゆするので手が離れ、その手を宙にあげたまま、泣きつづける緑子をしばらく見ていたが、巻子もパックから玉子の一個を手にとって、思い切り自分の頭にぶつけた、が、玉子の尖《とが》った先端をぶつけたらしく玉子は割れずにそのまま床に転がり、巻子は慌ててそれを追い、静止したままの玉子にしゃがんで自分の額をぶつけて割って、そのままぐりぐりと押しつけて、黄身と殻のついた顔で巻子は立ち上がって緑子の横へ行き、さらにもう一個を額に叩きつけ、中身は飛び散り、緑子は目を見開いてそれを見て、さらに大きな声をあげて泣きながらさらに緑子ももう一個、玉子の中身がまるごとずるんと床に落ち、殻も落ち、巻子も両手で右左って思わずワンツー、みたいなノリでさらにふたつを叩き割り、それから玉子まみれの顔でわたしに向いて、もう玉子はないの、と訊くので、や、冷蔵庫に、ある、けど、と答えると、冷蔵庫の戸を開けて玉子を取りだして、次々に頭で割ってった、ふたりの頭は次第に白くなり、巻子の足の裏で玉子の殻の砕ける小さな音がして、緑子の激しい息の音がして、巻子は、緑子、ほんまのことって、なに、緑子が知りたいほんまのことって、なに、と、体を震わせて泣く緑子に静かな声で訊けば、緑子は首を振って言葉にならへん、髪の毛から額から玉子のじゅるりが顔に垂れて、固まり始めたところもあり、嗚咽《おえつ》をしながら、ほ、ほんまのことを、としぼりだすのが精一杯、それから緑子は体を震わせて泣きつづけ、巻子はそれを見ながら、首を振って小さな声で、緑子、ほんまのことって、ほんまのことってね、みんなほんまのことってあると思うでしょ、絶対にものごとには、ほんまのことがあるのやって、みんなそう思うでしょ、でも緑子な、ほんまのことなんてな、ないこともあるねんで、何もないこともあるねんで。それから巻子は、何かを云ったのやけど、その声は小さくかすれていたためにわたしには届かず、それを聞いた緑子は、顔をあげて首を振ってそうじゃない、そうじゃないねん、でも色んなことが、色んなことが、と三回云って、台所の床に崩れるように突っ伏して、吐くような姿勢で一直線の太い声を絞り出して呻《うめ》いて泣きつづけ、巻子はズボンの後ろのポケットから赤いハンカチを取り出して何度も何度も緑子の頭についた玉子を拭って、ぐしゃぐしゃになった髪の毛を何度でも耳にかけてやり、ずいぶん長い時間を黙って、その背中をさすり続けた。

○　お母さんが夏休みに八月に入って、お盆過ぎたら、仕事ちょっと休めるから夏ちゃんとこに行こうとゆって、あたし東京はじめてでちょっとうれしい、うそ、だいぶとうれしい、新幹線も初めてで、夏ちゃんに会うんすごい久しぶり。夏ちゃんに会える！　　　　　　　　　　　　　　　　　　　　　　　　　　　　　緑子

○　それから、きのうのよる、お母さんの寝言でおきて、なんか面白いことというかなっておもってたら、おビールください、っておっきい声でゆって、びっくりして、ちょっとしたら涙がいっぱい出て朝までねれず、くるしい気持ちは、だれの苦しい気持ちも、厭やなあ。なくなればいいなあ。おかあさんがかわいそう。ほんまはずっと、

かわいそう。

緑子

巻子も緑子も寝てしまったあとで、わたしは緑子のリュックを開けて大きい方のノートを取りだして、台所の流しの電気の下でそれを読んだ。ノートには文章と、それのあいまに無数の小さな四角で描かれた絵のようなものがあり、半分は真っ白やった。目をこらせば緑子の文字は蛍光灯の青白い光の中でちらちらと震えるように見えて、これはわたしの目が震えているのか文字が震えているのか、そのあいだにある光が震えているのか、わからないままにわたしは十五分かけてそれをゆっくり読み、それからもう一回最初から読んで、部屋に戻ってリュックに戻した。

結局、花火はなしで、次の朝、巻子と緑子は帰って行った。もう一泊したら、どうせやし、と朝ごはんを食べたときにきいてみたけど、巻子は今晩から仕事で無理やねん、と云い、もうちょっと泊まっていく？　そういうこともありよ、と巻子がきけば、緑子は、お母さんと一緒に帰ると云った。二人が支度をするのを待って、緑子が自分の髪の毛をくるのに時間がかかって、巻ちゃんにしてもらったら、とわたしが云っても、自分できれいにできるようになるねん、と云い、それからわたしは巻子の荷物を持ってやって、緑子は自分のリュックを背負って、来たときとまったく寸分の狂いもない白さと暑さの熱気のなかを歩いて歩いて、人と様々な音の重なりをくぐりぬけて、電車にゆれて東京駅に着いた。

巻子は来た時とおんなじように濃い目の化粧であった。新幹線のホームまで行くのはたいそうやから改札で時間が来るのを待ってるときに、わたしは巻ちゃん、豆乳よ、豆乳やで、豆乳を飲もう、と云い、巻子は豆乳飲んだことないねんと云い、緑子はなんで豆乳なんと訊くので、豆乳の色々が色々にいいのや、女の人にはとくにいいのや、と云って、どこでも売ってるから毎日、緑子も巻ちゃんとちゃんと一緒にな、と云った。それからまだ時間があったので、売店をうろうろとして、友達にお土産とかは、と訊くと緑子は首を振り、なんもいらん、と答えるので、じゃあまたこれでなんか買い、と云って財布から五千円を取り出して渡した。昨日も五千円くれて今日も、と緑子が驚くので、じゃあこれは、何つうか、お守りってことで。使ってもいいし、持っといてもいいし、それに昨日は花火買って結局できんままで、あれ、ちゃんととっとくから湿らんようにしとくから、来年ちゃんと全部しよなとわたしは云って、それから、べつに夏じゃなくたってええねん。冬でも、春でも、会ったときにいつでも、したいときに花火しよう、と笑った。緑子も笑って、じゃあ寒くなって冬にしたいな。それからあと十分というまで一緒におって、巻子母子は改札を抜けて、ホームに向けて歩いていった。何回も何回も緑子は振り返って手を振って、見えなくなったと思ったらまたひょこっと顔を出して、それから本当に見えなくなるまで、わたしも手を振った。

家に着くと急に眠気がやってきた。歩いてる途中はあれだけ汗をかいてすぐにでも水を浴びたい浴びたい耐えられぬと思うのに、冷房のなかで汗はみるみるうちに乾いてゆくので、ちょっと横になったつもりがそのまま四時間も眠ってしまっていた。巻子は結局、豊胸手術をどうするのかについては云わんまま、昨夜に、緑子の父親のところへ行ったのだと云っても結局、会ったのか、会えなかったのか、大体において何をしに、というとも結局話さず、わたしは玉子にまみれた巻子と緑子、それからしゃがんで床を何度も何度も拭く巻子の姿を思いだしながら、手伝ってあげたらよかったな、と白っぽく霞んでゆく意識の切れ端がひらひらする中で、そんな映像と気持ちを追いながらまた眠ってしまっていた。

冷房の動かぬ冷たさで目が覚めて、肩がすごく冷えていた。温度をみたら二十一度になっていたので即座に切り、ぷうんと音をたてて運動が止まれば途端にぬるさがやってくる、まだ外は明るいままで子どもらの奇声のような笑い声が聞こえて届くなか、わたしは風呂場に行って服を脱いで、パンツについたナプキンを剝がしてじっと見た、血はほとんどついてなく、ティッシュにくるんでから、新しいのを装着してすぐにはけるようにしてバスタオルのうえに置き、浴室に入って熱い湯を浴びた。湯は丸いようさんの穴から傘を思い切り開いたように飛びだして、冷たくなった足の指が鳴るようにじんじんとして、肩がびりびりと内側から破れるようにしびれて、太股と両腕に大きな粒の鳥肌がたった。目のまえの鏡はどんなに湯気がたっても曇らない施しがされてあるので、ここではいつでもくっきりと自分の体の全体が見えるのやった。

わたしは背筋を伸ばして、顎を引いて、まっすぐに立ち、少し動いて顔以外の全部を鏡に映してみた。瞬きせずにじっと見た。真んなかには、胸があった。巻子のものとそれほど変わらぬちょっとした膨らみがそこにあって、先には茶色く粒だった乳首があって、泣き笑いのようだった、低い腰は鈍くまるく、臍のまわりにはそれを囲むように肉がついて、横に何本も線が入って、ゆるい渦を巻いていた。夕方の光と蛍光灯の光が小さく交差する湯気のなか、どこから来てどこに行くのかわからぬこれは、わたしを入れたままわたしに見られて、切り取られた鏡のなかで、ぼんやりといつまでも浮かんでいるようだった。

あなたたちの恋愛は瀕死

大人になってしまった今では、もう誰にも相談せずに、ささいな顔色を見ずに、所持金と時間と自分の気分の関係のなかだけで必要なものを選びとり、好きな場所へ行くことができてしまうこと。

女は新宿の真んなかのもっと真んなか、製氷機の出口のように人がざくざくとあふれてくる化粧品売り場を滑るようにいい気分で歩いてるときにそれを思い出して、それはどちらかというと小気味のよいふるまいであるはずなのに、女のまわりに浮かんでいる何かと何かが小さく衝突した加減によって、くじかれて、なぜかとんでもない不安のなかに放り出されたような気持ちにもなって、立ちつくしてしまうということがある。ときどき。しかしそれはいつも、ほんの少しのことなのでそれがしゅっと渦を巻いて消えてしまうまで、だいじょうぶ、だいじょうぶ。目をつむったりひらいたりして息を整えたりして色々なものを逃がしてやる。いい匂い。いい見栄っぱり。いい瓶、いい体。それからいいハンドバッグに、何もかものいい形。いい発色。いい目玉。いい毛髪にいい野心。

化粧品売り場で検分したり、鏡をのぞき込んでる女たちはみな自分たちのなかにあるささやかな、それともじつはもう押さえきれないいくらいの量になりつつある「いい」ものを手入れしに、あるいはさらに倍にしにここへやってきて、取りだしては見せあって、その口角はどれも同じように斜めうえにひっぱられて、よく見るとそれは笑顔と呼ばれるものだった。女たちはみんな、笑ったりしているのだ。

固まった白いクリームのような形の椅子に腰をかけて、販売員に向かって女もにっこりと笑顔を見せる。んー、とかなんとか言いながら。色々な新製品を見ているふりをする。新しいのは次から次へ毎週のように登場するので、使いきらないで用済みになっていくこれまでの化粧品の数を思うと、女はほんの少しだけ頬の赤らむ思いだった。化粧品もちゃんと腐るのかしら？　油がまわって？　貴金属を照らす用のきらきらしいライトの光が頭上から一直線に注いでいるので、楕円形の鏡のなかの女の顔はどの鏡で見るよりもロマンティックな具合に見える。手をおいたカウンターのなかからも薄水色の光がまあるく膨らんでいて、まっすぐな光が上からまあるい光を刺すこの具合がどうも数字的だわ、と感心しながら、そのなかで浮かびあがる女の鼻は少しチャーミングであるようにも見える。ふんふん。右を向いて、左を向いて、瞼《まぶた》に力を入れてまつげの反りかたをチェックする。

ひっつめにして、薬指にほんとに小さなピンクの石のついた指輪をはめた若い販売員が手をひらひらさせて、お客様。これはちょっとあり得ませんよ、と言いながら大げさな箱に入ったクリームを、これまた大げさに手袋をはめてからくるくると蓋《ふた》をなめらかに回してぱっかとあけて女に向かって中身を見せる。見るだけではその中身がどれくらい柔らかいものなのか冷たいものなのか、正体のどんなささいな部分のこともわからない。どこにでもある匂いだし、初めてかぐような匂いにも思えるし、すごくよさそうだし、たいしたことないような。それにクリームのことは実はそもそもよくわからないんだし。しかし女はそのあり得ないクリームのうんぬんよりも、手袋のなかにしまわれた販売員の指についた指輪のことが気になる。それはぜんぶで十本の指があるなかで左手の薬指にはっきりとはめられてあるのだから十中八九、恋人からの贈り物であるはずで、邪魔にならない控えめなデザインと、このめずらしく化粧っ気のない販売員はとてもお似合いで、その組みあわせは少しだけいやらしい感じがした。この飾り気のないふたつはひそひそとぐるになって、恋人のなかの何かとても気の利いたものをその恋人本人には絶対に気づかれないようなやり方で、毎晩のように少しずつ騙し取っているようなそんな気がしたので。

繊細な下着でも綿の小さなタンクトップでも細い鎖の上品なネックレスでもなんでもいいけれど、何もつけていない体の表面に何かひとつのしるしのようなものがあるのは素敵だし、そういうのはベッドのなかとか薄闇のなかとか体温の延長上なんかで、目にとても注意をさせる。めくったり、見つめたり、隠したりできる部品としての注意。それは恋人をとても興奮させて気持ちよくさせるだろうし、ある一定の時間、自分の恋人を正しく興奮させることができたこの販売員のそのしたたかでいやらしい気質の色濃い部分は、そんな風にして日に日にそれらをぱくぱくと食うのだから、増幅して、漏れて、空気をにじませるみたいにしてとても匂う。ふんふん。だからたったの一回、こんな馬鹿馬鹿しいクリームの効用を介してしか会うことのないわたしにもこんなことを想像させてしまうのだ、と女は考えた。

偵察するように様々なブランドの角を眺めながらつるつるとした百貨店を出て、時計を見て、待ちあわせの時間までにあと四時間もあることを確認しても、女は今度はどこにも放り出されなかった。

気分のどこを見まわしても不安めいたものがないので、そのことが女の足の速度を明るくさせる。最近はかかとのしっかりした靴が流行っているけれど、と女は街をゆく女たちの足に目をやりながら独り言のように頭のなかに言葉を浮かべる。わたしは華奢《きやしや》なハイヒールが好き。だってそれはわたしの足首から足の甲の形をとてもきれいに見せるからで、まるで足のもともとからの一部みたいにしてわたしはこの素敵な形をした履き物を扱うことができる。靴を買う予定はなくても、目についた靴屋に入って床すれすれにある足専用の長方形の鏡に足だけを映して、店員が声をかけようとする前に礼儀正しさを演じながら体を回転させて、とても感じよくひらりと店から出ることができる。

それから、四時間あれば人は何ができるだろうかと考えながら、人がめいめいに歩く道路のうえには、冬のはじまりの夕方の光がぱらぱらと落ちていて思わず目を細める自分をどこかもうちょっと上の方から眺めてる構図を作ってみる。

そうしたらその向こう、携帯電話のコマーシャル、大きな看板に印刷された女優の顔の輪郭に目を奪われていると、前からやってきた女と思いきり肩がぶつかった。不意に力をぶつけられた女は横向きに倒れそうになるのをなんとかがんばり、しかしお尻はつかないまでも、思わずしゃがみこむような形になって、支えた手のひらにはコンクリートのぼこぼこした跡が白くついて、毛羽立ちみたいにうっすらとして皮もめくれた。

手を払いながらぶつかってきた女の顔を見あげると、女は謝るどころかにらみつけるような目をしてぱつぱつとした唇の隙間から鋭く短い息を吐いた。まるで目に見えるようなとがった息。大きな目。短いスカートをはいて、素足で、ふくらはぎの真んなかまでもこもことしたブーツの生地がのびていて、張りのみなぎる、頬の白い、まだとても若い女の子だった。

女はとっさに目をそらし、何も言うことがないので、ゆっくりと立ちあがり、若い女の顔をじっと見ることもできなかったので、手のひらについた黒いゴミみたいなのを爪先でつまんでとった。ハイヒールのかかとにも一センチくらいのひっかき傷がついていた。若い女はしばらく動こうとしないので、仕方なく最後にちらりと顔を見ると、その若い女は女の上から下をざっと見おろして、口の形はいっさい動かさずに鼻をすん、と鳴らして女の全体を笑ったように見えた。

若い女が勢いよく行ってしまい、女は独りになると、そこにいる誰も彼女を気に留めている様子もないのに、ふう、とわざわざ声に出して肺の中身をすっかり出してしまうようなわざとらしいため息をついて、歩き直し、信号が青になるのをじりじりと待っていたけれど、しかしさっきまでいい調子で物事を制していた心臓は体中の皮膚の裏をいやな音をたてて走り回るので、女はのんきなしましまを渡り終えるまでに何度か立ち止まらなければならなかった。

信号を終えて、靴屋と紀伊國屋の角にさしかかったときにティッシュを挟んだ指が目の前に飛び出してきて、そのすぐ後で男の声が、どうぞ、と言った。どうぞ。女は一瞬、何をどうぞと言われたのかが理解できなくて、どうぞ。どうぞって、一体なんだったかしら。それから、思わず、ありがとう、と言ってしまった。それは女の持っている反射神経のとてもいい部分を込めたありがとうだったにもかかわらず、男はティッシュを受け取らない女のぼんやりした反応と、ありがとうなどというまるっこい響きがこの場所でもつ意味が理解できないので少しだけいらつき、取るのか取らないのか、何度もすばやく空気を切るようにティッシュを女の目の前にさし出しても女はぼんやりして、それを受け取ろうとはしなかったので、なんだこの女、と男はさらにいらっとした。どっちだよ、と言いたいかわりに面倒くさそうにどうぞ、と男がさらに声をかけたときに初めて女にはティッシュが見えたのでそれを受け取り、丁寧にもう一度、ありがとう、と答えた。今度はちゃんと目を見て。よく、のぞき込むような目で、という表現があるけれど、女はその男の目のなかの黒目の少し濡れて輪っかになった部分を本当にのぞき込むような気持ちで見つめたから、まるで目薬を無理矢理に注がれたみたいに男はまたたくまに液体のような嫌悪感でいっぱいになった。

それから体をひるがえして、女ではなく次にやってくる通行人に向けて次のティッシュをさし出したのに、女はそれをまたさっと受け取って、さっきよりもたっぷりとした感じでありがとう、と湿った声を出した。男は気味悪く大変にうんざりした様子でそれには答えないで数歩進んで女の立っている場所から離れていった。そして、うっとうしい、こんな、きりのない、無目的な、たいした金にもならないくせに、からまれたりするリスクにびくびくしながらこんなこと、いつまでつづければいいのだろう、うさん臭い、ありきたりな、もっと僕にはとくべつな、気が、男はありったけの呪詛《じゅそ》の言葉を並べてみたいのだったけど、こういうときのこの気持ちをさらに高ぶらせる種類の言葉の用意がどこにもないので、追いかけてもからからと音がするばっかりで、まるで役に立たない字づらの残りかすにまで人生を笑われてるようだった。そうすれば自分の手に持っているかさかさしたティッシュを地面に打ってばらまき、電信柱の後ろに積んであるダンボール箱の中身を今すぐ思いきり蹴破って蹴散らしてから事務所へ行って、あの、いつまでも馬鹿みたいな喋りかたで汚らしい唾をぷっぷっと飛ばし、日雇いを顎で使う醜いぶよぶよとした年下のあの責任者を、そこらにある何か固いもので気の済むまで殴り続けるということを想像して、しかし殴り続けるということが、男の手のうえでどこまでもうまく質感を持たないのだから、男はしばらくそれについて考えてみればさらに暗くて安っぽい気持ちの奥へ沈むことになった。

女は少し離れたところからそんな男の後ろ姿をじっと見ていた。わたしが気の利いた外人だったら、へーい、と明るく声をかけてみてそこから何かが始まるような気もするんだけど、というようなことを夢想しながら。女はもう紀伊國屋の前に本が山積みになって並んだワゴンのところまで来ていて、ここで待ちあわせをしているふりをして男をちらちらと見つづけていた。

女はまったく知らない男と出会って、そのままいい感じで性交をしてみる、ということに関してはじつは毎晩のように想像を重ねて、それがいったいどういうものなのかということを想像してはその想像が果たしてうまくいっているのか、それとも途方もなく馬鹿げたことになっているのかの境目が決してわからないので、それなりに苦しい夜を過ごすのだった。

携帯電話を使って、パソコンを使って、あるいは道具なんて使わずに、ひじとひじがぶつかったりするだけでいいのかも知れないそれだけのことで、男に限らず、女に限らず、つまり人々は——女の夢想することを、その夢想のなかであってもこの女には決して飛ぶことのできない溝のようなものを、そんなもの始めからないのだといわんばっかりにひょいひょいと大股で進んでいって、傷ついたりはかなげな感想を書いたり悲しんだり慰めあったりして――、とっても満足しているように女には思えた。なんというか、そういった性交の全般において。

女は友人に、――女が一度でいいから味わってみたくて仕方がないその満足をほぼ日常的に体験しているようにどうしても思えてしまう、ちゃんとした恋人もいる友人に――、さりげなく色々なことをきいてみたことがあったけれど、彼女が語るどの場面もなんだか言葉だけがちろちろとつながって目の前に並ぶだけで、自分をそこに置き換えたときにどうふるまってよいのかが女にはうまくわからない。彼女の話す、行為と行為のつなぎ目が飛躍しすぎていて、例えばなぜ二十分前までは飼い猫の話でため息をついていたふたりがそのあとすぐにお互いの乳首を舐めあったりする場面にするりと登場することができるのかということがわからないし、いろいろを終えてそこから退場するときにどんな挨拶をしていいのかもわからない。これなら作りもののべたべたした映画でもぼーと観ているほうがましというようなもので、それでも気づかれないように熱心にその詳細を頭のなかに書き込んでいくのだった。

一番素敵だったのは、と彼女はなんでもないような顔をして言う。

なんとなく、満員電車で前に立ってる男の子と何度も目があって、まあ好みか好みじゃないかって言われたら、うーん。まあまあ好み、って感じの男の子で、それからすぐにどっとすいたのね。電車が。それでわたしが座って、隣があいたからどうぞって言って、男の子も座って、これから仕事ですか、ってきかれて、帰る途中なのって言ったらご飯でもどうですかってことになって、降りてご飯食べて、そのまま。

そんなことがあるの。と何度でも確かめたかったけれど女は、そっか。というようなあいづちしか打てず、ご飯食べて、そのまま。の、その後ろの段取りや気持ちの詳しくをとてもききたいのだけど、彼女が一番素敵だったとか言いながらそれをまったくとくべつに扱っていないことになぜかどうしようもなくつまずいてしまって、そのいちばん素敵の意味をきこうにも、彼女のほうではこのこと自体がどうでもいいような具合だったので、女は、まあ、大変よね、とかなんとか言ってみるだけで、その話はなんとなく共通の友人の結婚の噂話になり、その夫の株の失敗の話になり、カメラの性能の話になり、マンションのうまい購入方法の話になり、最後は虫歯の最新治療の話に落ち着いて、結局、女の知りたいことがはっきりと目のまえに現れることはいつだってないのだった。

ひとしきりを思い出して反芻《はんすう》したあと、でも、と女は紀伊國屋のワゴンの横で考える。ああいうことのできる、それが男でも女でもいいのだけれど、出会いがしら的に性交ができてしまう人とそうでない人の違いというのは、いったいどこにどんな風にあるんだろう、とこれまで何十回も考えてそこからなんの発展もしない幼稚な問いをこのときもまた女は飽きずに巡りはじめて、色々なことを思うけれど、なので、つまり自分は、本当は、どっちなのだろう、というこれもまたお馴染みの順路での堂々巡りを、しかし相当によわよわしい気持ちで辿るのだった。

だいたい知らない相手、というのは、何を知らないことになるかって、まず名前を知らないことよね。それから、年齢とか基本的な性格とか、いわゆる素性全般を知らないということで、じゃあその逆の、たとえば愛しているし愛されているといってもいいような関係でする性交っていうのは、その全部をちゃんと満たしているのだろうかというと、必ずしもそうでもないし、肝心なのは、その性交のどこに主体性があるのか、なのよね、と女はぶつぶつと口にして、しかし自分の発したその言葉の何も言っていなさに気がつくこともなく、さっきからずっと眺めていた男がさくさくと仕事をこなしているのを知らないまに数えていたことに気がついた。

女がここで立っているあいだに男は百近いティッシュを手渡すことに成功し、それにしても手にティッシュを持っていなかったらなんだかへんな踊りをしてるみたいに見えるわね、と思いながら、女はこの男のどこかいいところを探そうとしてみた。ここからわかる範囲で。男は濃い灰色のパーカーの上にモッズコートのようなものを着て、黒いズボンに黒い靴を履いていた。ふんふん。なんの特徴もない髪形に、横からちらちらのぞく鼻が少しだけ高いように見えた。それから女はその背中に向かって、へーい、と頭のなかで小さく声をかけながら、足首が冷えてきたので本屋のなかへ入っていった。

さして興味のない本棚を追いながら、女にはもうひとり友人がいて、それを思い出し、彼女は決まった相手としか性交をしない女だった。

わたし、何かで読んだわよ。と彼女は自信たっぷりな顔をして言う。

適当な相手と適当な性交をしつづけるやつっていうのはね、ものすごく、なんていうのかしら、人間的にとんでもなく未熟なのよ。何かで読んでそのときわたしそうよ、ってすごく同意しちゃったもの。性交の相手をころころ変える人間はね、相手と最低限のレベルでも向かい合うことができないんじゃなくて、避けてんのよね。傷つくのが怖いんじゃなくて単に面倒くさがってんのよ。だから問題が起きたらすぐに別れて、で、さみしいからってまた次に行くでしょ、で、面倒くさいから問題が起きたらまたぱっと別れてそのくり返し。最大の事なかれ主義よ。そりゃあまともな本も読めなくなるわよ。だってなんにつけたって関係性において努力するってことを知らないんだもの。まじで猿みたいなもんよ。

女はそのときも、そっか。と言ってなんとなくその話題をやり過ごして、それでいて少しだけ居心地の悪さのようなものを感じていて、それは彼女の自らを誇らしげにアピールする一連の態度のせいだった。で、そんな彼女のまともすぎる話をききながら、でも、わたしは知らない男とやってみたいのよ。なぜならばそれが本当はどんなことなのか、わたしにはわからないから。知らないっていうことがどういうものなのかを知ってみたいような気がするから。できることは本当にできることなのかを、自分の体を使って試してみたいような気持ちになって、苦しいから。それにあなたは馬鹿にするけど猿が本当はどうなのかもわからないし。だいたい、決まった相手とも、それから決まっていない相手とも性交することのないわたしは、あなたから見て、なんていうのかな、——合格してるのかしら？　人間として？　と笑顔で言ってみることを想像して、やめて、冷たくなった紅茶の残りをがぶりと飲んだことを覚えている。舌にのりあげた苦い粉、そのときのカップの柄とスプーンについた小さな金色の帽子の細工のくだらなさも。

女は自分の体がどれくらいの価値のあるものなのかもわからないし、でもわからないままでもそれをくるむ服を買うのは好き。趣味はないのと同じだから、日曜日には決まって新宿まで出ていって朝から晩まで化粧品や洋服を見て過ごす。何もない一日でも、誰にも会わない一日でも、朝起きて女はすぐに化粧をする。念入りに。うっかりして手順をひとつでも飛ばすようなことがあると最初から全部やり直す。多い時には何度やってもうまく肌が作れなくて出かけるまでに三度も顔を洗ったことがある。寝不足がなによりも避けるべきもので、眠っていないと肌の調子が悪くなるからではなくて、目のほうに問題が出て、どれだけ丁寧にアイラインをひいても皮膚のきめを飛び出して見えるし、醜い恐竜の爪のような顔に見えるので、女は鏡のなかのそれが少しだけおそろしい。

そんなふうに女は毎週のように丁寧に化粧をしてある程度に着飾って街に出ても、満員電車に乗っても、友人のような出来事に出会うこともなく、どんな種類の男からも声をかけられたことは一度としてなかった。生まれてから一度もなかった。女はそれについて最初のころ、確かに色々なことを考えてはいたけれど、こんな週末を過ごすのが三年目を過ぎる頃にはもうあんまりそれについては考えないようになっていた。女の頭のなかにいつも完璧にあるのは、毎日、丁寧に化粧をすること。新製品が出たらそれを買うこと。百貨店の大きくひらかれた一階の、高級な、手入れの行き届いた光のなかの一点の曇りもない大きな鏡のなかで自分の顔を映せば、色々な感情は奥へ奥へとひきのばされて女自身にもつかみどころのないものに変化して、それをまんべんなく見つめて、そこからしか見えないものを、隅々まで管理しつづけること。

それに比べて本屋というのは、どうしてこんなに人の気持ちをめいらせるものなのか女は理解ができなかった。すべての階の、すべての棚を、どれだけ見つめて歩いてみても何ひとつ手に取るものがない。へんな匂いがするし、どこまでも平坦で、まるみはないし、人々はなぜだか無理矢理にこんなところに集まって、無理矢理に本を手にとっているように見える。ひとりとして楽しそうな顔をした人がいないし、みんな何かをあきらめたような顔をして一冊一冊を重たそうに検分している。蛍光灯の安っぽい光のしたでみんなが一律に、高速で年老いてゆくように見えて、女はぶるりと身を震わせた。こんなところからは早く出なきゃね。出口を目指してかつかつと歩く途中に天井の隅っこのところどころに鏡がついてあって、そのなかのひとつに偶然に映った自分の顔を見て女は大きく目をあけた。これは。とんでもないわ。これは。さらに大きく目をあけて、いったいこんな風に見える女とどこの誰が性交したいなんて思うのよ。こんなところにいては。息ができない。はやくちゃんとした光のなかで、わたしはわたしの持ち物を発揮しなければこの週末は取り返しのつかないものになってしまう。ここはすごく、とても、間違った場所だわ。女は心臓がまたいやな感じに動き回るのを感じて、自分で選んでやってきたこの新宿がなにかよくわからない大きなものの角度に見えて、どこに立ってよいのか見当もつかず、胸に立ちのぼってくる煙のようなおそろしさを止めることができなくなっていた。

なんとか自動ドアを出れば外はもう真っ暗になっていて、少し先の信号のわきにはまださっきの男がいて、ティッシュを配っているのが見えた。夜が近づいて、その夜の入り口からも人はどんどんあふれてくるようだった。信号機の色が濡れたように光っていて、それを見ていると目のあたりから女の体もどことなく濡れはじめているような気持ちになる。そして顔があるようでないような、あるいはその逆の感じのする大勢の人間たちがそんなに大きくないあの男の体を目がけて、まったく関係のないことを口々にうたいながら、とがりながら、前進してくるかのように思えたので、それが見えてしまう女は急に心細くなってしまい、どうにもたくさんいる人々のなかであの男の輪郭だけがこの夜の、ほんの少しのとくべつであるようなそんな気がしてしまう。

男は疲れきっていた。ティッシュは配っても配ってもきりがないもののひとつで、この種類のバイトを始めた何も知らないときに、そのときはチラシだったがそれを箱ごと燃やしてそれがばれて大変な目に遭わされたことをときどき思い出す。あのときのことは、思い出す。それでいて僕はなぜこんな仕事をしているのだろう。簡単だからか。人と話をしないで済むからか。能力がないからか。誰にでもできるからか。しかし世のなかの仕事はみんな茶番じゃないのか。渡したティッシュをえらそうに叩き落とすこいつらだって、僕がおまえらの客になることだってあるんじゃないのか。こんなもの、金を動かすための単なる馬鹿馬鹿しいごっこじゃないのか。こんな基本的なことを誰もわかっていないからこんなにも僕はこのように不愉快に生きていかなければならない、と男は空腹と七時間以上も立ちっぱなしのためにしびれがひどくなった足の感覚にいらいらを超えて怒りを感じながら、それでもあと一時間、それから下手をすれば何年も、この動作をくり返さなければならないことにじゅくじゅくと熱された涙の出る思いだった。

女は自動ドアのわきのところで、蛍光灯の光を逃れた自分の顔がどんなふうに見えるかを確かめるためにコンパクトをひらいて丁寧にのぞき込み、平たいパフに粉をつけて二、三度手の甲ではたいてからそっと頬のうえや鼻筋にのせていった。これは魔法のお粉だわ。一色になって、透明感もでて、と小さな丸い鏡のなかの自分の顔に心底満足しかかったときに、夕方、まだ暗くなる前にぶつかって倒されたあの若い女の顔がくっきりと頭に浮かんでしまって、あの肌の張り、あの頬のやわらかな、ふくらみ。まるい小さな鏡のなかに映った顔の目のまわりは黒く、垂れさがり、女はそのままコンパクトを思わず叩きつけたい衝動に駆られたけれど持ち直し、なんとかハンドバッグのなかにしまうことができた。

女は大きく息を吐いて気を取り直して、あんはん。小さな咳払いをひとつして男が立って作業しているところへ背筋をものすごく伸ばして歩いて近づいていった。できる限り、軽い感じで。それから肩を叩いて、へーい、と声をかけてみた。笑顔で。ほら。さっきも会ったわね。覚えてる？　わたしのこと。あなたまだ仕事してるの。でもね、誓っていうけどティッシュって大事なものよ。ものすごーく役に立つんだから。それでこのあとなんにもないんだったら、わたしとご飯でも食べない。

男は不意に肩を叩かれて、振り向いたときに灰色に浮かびあがるぞっとするような女の顔があったので、その瞬間に何もかもが吹き飛ぶような映像が見えて、気がつけば女を殴り倒していた。握った手に思いきり力を入れて肩からしたにふり落としたところに女の顔があったというか、男は自分が何を殴ったのかその瞬間には区別がつかなかった。ただ、右手に味わったことのない感触が広がって、それだけを取り出してみれば悪いものでは決してなく、それは男が生まれてはじめて人に対してふるった暴力だった。男はとても興奮して、倒れた女をそのうえからさらに殴りつづけたいという衝動を抑えるのに必死で、わけのわからない声を出して何度も同じ場所で跳ねるなどして呼吸を整えようとする様子は人々の目にとても気味悪いものに映った。女のほうこそいったい自分の身に何が起きたのか理解するまもなく倒れて、いやというほど側頭部を打って、まったく動かなかった。行き来する人々のなかには立ち止まって、男の顔と女の横たわった体をきょろきょろと見比べたりして、そわそわしたそぶりを見せる者もいたけれど、多くの人はそれを避けるまでもなくそんなものは最初からどこにも見えないのだというように完璧にふるまうのだし、人々はそういうことにかけてはいつだって天才的にうまくやってのけるのだった。

女のハンドバッグの口が地面に落ちたときに大きくひらき、なかからはひとつひとつ薄紙に丁寧に包装されたいくつかの化粧品が散らばって、財布の頭が出ていた。そこから少し離れたところまでコンパクトは飛ばされて、ねりかためられた粉も鏡も粉々になって割れてしまって、それは遠くから見るとひからびた小動物の骨のようにも見えた。

さらに遠くに飛ばされた鏡のかけらはきらめくまもなく通行人の靴のしたでぱしぱしという乾いた音をたてた。女は悲鳴をあげるまも与えられずに気を失い、女の全体重でもって打ちつけられたその頰には、ゆっくりと血がにじんで、コンクリートとぴったり合わさっているがためにこの夜にあるはずのどんなささやかな光も届かない。

初出誌
乳と卵　「文學界」二〇〇七年十二月号
あなたたちの恋愛は瀕死　「文學界」二〇〇八年三月号
単行本　二〇〇八年二月　文藝春秋刊

文春文庫

乳《ちち》と卵《らん》

定価はカバーに
表示してあります

2010年9月10日　第1刷
2023年10月25日　第21刷

著　者　川《かわ》上《かみ》未《み》映《え》子《こ》
発行者　大沼貴之
発行所　株式会社　文藝春秋

東京都千代田区紀尾井町3-23　〒102-8008
TEL　03・3265・1211㈹
文藝春秋ホームページ　http://www.bunshun.co.jp

落丁、乱丁本は、お手数ですが小社製作部宛お送り下さい。送料小社負担でお取替致します。

印刷・TOPPAN　製本・加藤製本　Printed in Japan
ISBN978-4-16-779101-8

文 春 文 庫

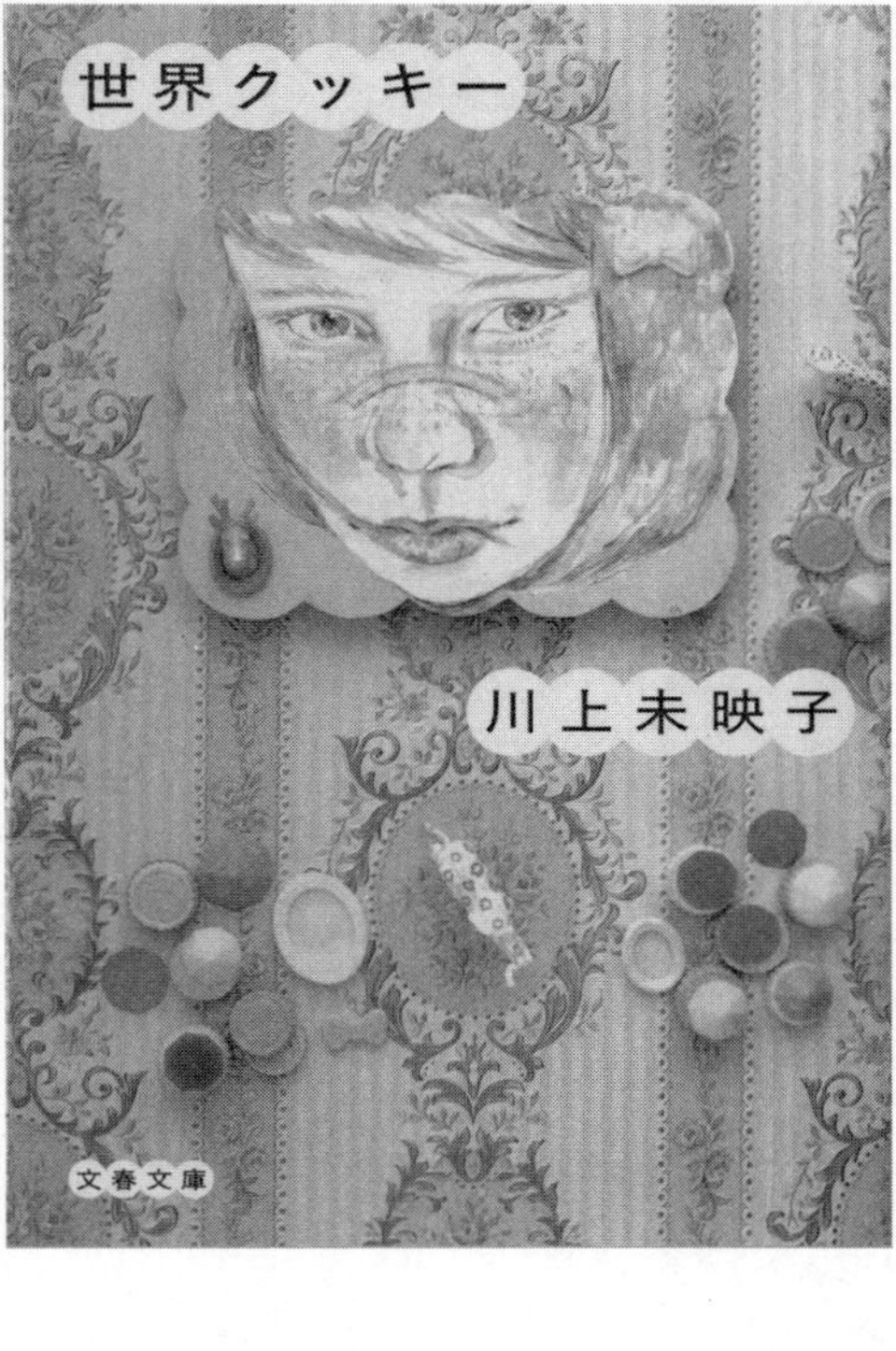

文春文庫

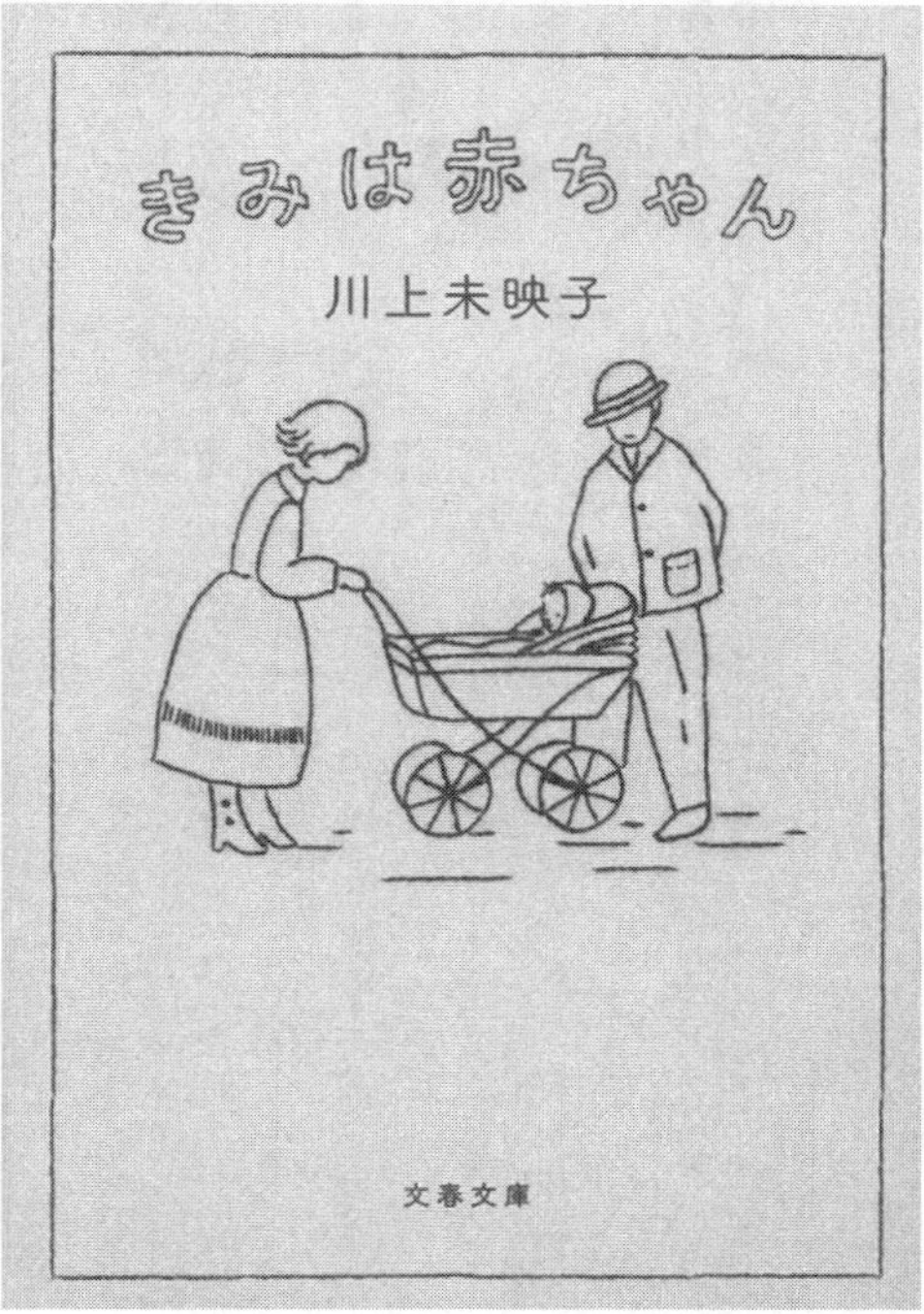